P9-CKT-298

LA REALIDAD ESPERPÉNTICA

BIBLIOTECA ROMÁNICA HISPÁNICA

DIRIGIDA POR DÁMASO ALONSO

II. ESTUDIOS Y ENSAYOS

ALONSO ZAMORA VICENTE

LA REALIDAD ESPERPÉNTICA

(APROXIMACIÓN A "LUCES DE BOHEMIA")

BIBLIOTECA ROMÁNICA HISPÁNICA
EDITORIAL GREDOS, S. A.
MADRID

EDITORIAL GREDOS, S. A.
Sánchez Pacheco, 83, Madrid. España.

Depósito Legal: M. 618 - 1969.

Gráficas Cóndor, S. A., Sánchez Pacheco, 83, Madrid, 1969. — 3228

En lo esencial, las páginas que siguen son las de mi discurso de ingreso en la Real Academia Española, titulado ya entonces *Asedio a Luces de bohemia*. Salen ahora de nuevo esas líneas, ensanchando su horizonte de datos y circunstancias, corregidas aquí y allá, dispuestas a ganarse la vida al servicio de aquel egregio español que se llamó Ramón del Valle Inclán. Me empuja a hacerlo el ver la evidente urgencia de poner en claro ante el lector de hoy las innumerables implicaciones que el primer esperpento encierra, olvidadas ya en el giro impasible del calendario, y evitar así, en lo posible, descarríos y ligerezas de interpretación.

Es indudable que el esperpento figurará —figura ya— entre las cumbres de nuestra creación literaria en lo que va de siglo. Desconcertante, esquinado, gesticulante esguince de voces y situaciones, ese nuevo vendaval artístico ha suscitado curiosidades, ha levantado tolvaneras de interpretaciones y de páginas más o menos arriesgadas y valiosas. Sin embargo, algo me decía siempre, al leerle —era mi inesquivable condición de español— que no todo era allí literatura. Yo, y creo que conmigo todos aquellos para quienes este trozo de tierra, España, conlleve un problema, nos reconocíamos confusamente, simpatizábamos con lo que en el esperpento ocurría. Despertaba en nuestro pasmo un agridulce regusto familiar, de cercanía sugestiva y repelente a la vez. La busca de esa última verdad subyacente me ha llevado a la confirmación del previo y confuso suponer:

todo cuanto en *Luces de bohemia* se dice o acontece, se dijo o aconteció, tuvo su hueco exacto en el aire de "un Madrid absurdo, brillante y hambriento". Y se dijo o aconteció *en serio,* trágicamente, con su escolta abrumadora de dolores, pesadumbres, desencantos. La figura de Valle Inclán se me crecía así cada vez más, ahilada depuración de una conciencia colectiva, excepcional exponente de una circunstancia. Pocas veces un hombre ha logrado trascender los sinsabores cotidianos a tan delgada visión artística.

Ya hace muchos años que dediqué otras páginas a Valle Inclán. Fue entonces mi atención hacia los recovecos innumerables que, aunados en plural convivencia, han dado lugar al más acabado cuerpo de la prosa modernista en español: las cuatro *Sonatas.* La persecución de esa aventura creadora era fundamentalmente libresca. Mucho satanismo postromántico, parnasianismo, etc.; sensaciones, colores, perfumes, copiosa erudición artística, a veces, ¡ay!, superficial y a base de raquíticas fotografías, falaces grabados, endeble información de revistilla gráfica. Siempre, detrás de cada peripecia de las *Sonatas,* quedaba un eco de Museo o de prendería elegante, con su fatiga, su vago aburrimiento, sus conversaciones susurradas, pasos de aquí para allá, a fin de descubrir nuevos ángulos, reflejos, situaciones, coincidencias... Ahora, la búsqueda frente a *Luces de bohemia,* había de comenzar por la propia conciencia, por una expedición al idioma corriente de un madrileño de hace años (mi lengua, la mía, la que yo aprendí, la que en ocasiones aún me sorprende al oírmela), y sacar, enredada en ella, una resurrección de recuerdos en la que se entremezclan, ya sin norte y sin fronteras, huelgas violentas, la guerra de África, y noticias de revoluciones y desgobiernos, y coches de caballos —¡los simones renqueantes y al aire limpio!—, y paradas militares, y fotos deslucidas, y nombres de teatros demolidos o incendiados, y el escándalo de los primeros accidentes automovilísticos, y verbenas ruidosas, apestosas a churros y aguardiente... Y, siempre, acorde obligado, una tonada zarzuelera escoltando el vivir. Un Madrid que se ve sin que aparezca en *Luces de bohemia,* y cuya desaparición no hay por qué lamentar. *Luces de bohemia* es el mejor antídoto al lugar común de "todo tiempo pasado fue mejor". No, no. El tiempo pasado fue, simplemente. Ese mundo ido, quizá fue "brillante", no lo discuto. Fue, como el de ahora, "absurdo". Pero hagamos nuestro el escarmiento que la lenta agonía callejera de Max Estrella encierra y pidámosle a Dios que se elimine el otro adjetivo, "hambriento". Hambriento y no sólo de pan, sino de algo más hondo y duradero.

Se me podría achacar —no falta nunca un roto para un descosido— que, a fuerza de querer documentar la raíz vital del esperpento, he descuidado la vertiente estrictamente literaria del libro. Nada más lejos de mi propósito. Precisamente es lo que más me interesa y atrae. Especialmente, poner en relación este nuevo arte con el teatro europeo de su tiempo (con el teatro "serio", para entendernos), pero no se podía llevar decorosamente a cabo tal tarea sin antes aclarar todo el andamiaje sobre el que *Luces de bohemia* se apoya. Tocamos, como siempre, al misterio de la creación. En este caso, el prodigio de Ramón del Valle Inclán ha sido el de ensamblar, en un área temporal reducidísima, recuerdos de diversas épocas (aunque, eso sí, relativamente cercanas y quizá las más correspondientes a su período de ilusiones juveniles, a su esperanzado luchar de creador con fe en sí mismo por todo equipaje), y fundirlas con el presente atenazante, y sacar de esa amalgama la dolorida, ejemplar lección. Hombres y cosas son, en el esperpento, despreciados intensamente, pero con ternura, con ademán de infinita compasión. Aprendamos a respetar su gesto, y leamos sus andanzas sin quitarles una sola palabra, así, cabal, rotundo. "¡El mundo es una controversia!", —dice Picalagartos, filósofo de un mostrador de zinc. Sí, es verdad. Y, sabiéndolo, no nos será difícil tomar partido. Quizá Valle, en su tiempo, solamente pretendía eso, tomar partido, ayudar a definirse, a comprometerse. Que, al fin y al cabo, lo mismo la corte carlista que la taberna de la madrugada madrileña, con sus armónicos y secuelas, están ahí, son nuestras, y vale la pena, ya lo creo, detenerse un ratillo a contemplarlas.

Han pasado ya cien años desde que nació Ramón María del Valle Inclán. Y ha pasado medio siglo desde que publicó su primer esperpento, es decir, desde el momento en que inventó un nuevo apartado para las retóricas, en las que nos vemos obligados a incluir unas obras de límites poco precisos, contradictorios y escurridizos: el esperpento. Palabra traída de una zona del habla cotidiana, familiar, que, de pronto, pasa a designar una actitud artística, una ladera de accidentados escarpes, y asciende a esa vaga comarca de los conceptos abstractos: esperpento, una nueva maquinaria en la aventura artística.

Es *Luces de bohemia* la primera producción llamada de esa manera. Apareció en la revista *España,* en entregas semanales, entre el 31 de julio y el 23 de octubre de 1920. En libro (con notorias e importantísimas variantes) salió en 1924. Para el lector acostumbrado a Valle Inclán, el nuevo libro suponía una clara profundización en algunos rasgos exagerados y, a primera vista, caricaturescos, que ya se habían hecho presentes en algunas obras anteriores *(La pipa de kif,* 1919; *Farsa de la enamorada del Rey,* de 1920; *Farsa de la Reina Castiza,* también publicada en entregas en *La Pluma,* agosto y octubre, 1920). Ante los ojos del lector, quizá nostálgico del Valle comedido y refinado de las *Sonatas,* se aguzaban las muecas desorbitadas de los nuevos personajes, moviéndose en violentos esguinces, resolviéndose muchas veces en muñequería triste y gesticulante. Ante la curiosidad en carne viva, se ofrecía la palabreja nueva, desazonadora: esperpento.

Es muy acusado el contraste entre el Valle Inclán puramente embarcado en la circunstancia modernista y el subsiguiente, desgarrado, en ocasiones procaz y siempre violento. No era de extrañar, pues, que la crítica se ocupase, desde muy diversos ángulos, de esta nueva orientación. De todo lo hecho podemos deducir las varias actitudes con que crítica y lectores se han enfrentado con la obra última de Ramón del Valle Inclán. Primero, una risa franca y cómplice, sobre todo por parte de los lectores o comentaristas que, aún muy próximos a lo discutido, narrado o combatido en la obra valleinclanesca, reconocían la sutil trama histórica que sostiene la ficción. Más tarde, esa carcajada ha sido sustituida por una inquieta curiosidad, hija todavía de la dureza con que esa historia concreta se presentaba, orillada de descaro y chulapería. Ya tenemos, pues, dos estadios. Pero ninguno de ellos, aún, una mirada leal de entendimiento de esos libros como hecho artístico.

A la risa y a la curiosidad asombrada, siguió una indudable desazón, un hormiguillo por explicar el hecho, incluso sin romper con los cauces en que se situaba el Valle Inclán modernista. Es decir, se empezaba a hacer verdaderamente una interpretación de esos libros, arañando ya la crítica literaria. De aquí hemos de partir. Por diversos caminos y con diversos puntos de mira, ha sobrenadado de las varias voces, el regusto amargo y desencantado que esos libros exhalan. Hoy, ya lejos la circunstancia histórica que los provocó, creo que podemos empezar a mirarlos con más limpia mirada, con más decidida voluntad de entendimiento. Reconstruir de alguna manera los caminos y azares que los motivaron, sin que ya nos aflija ninguna de sus realidades concretas, es quizá una de las más fascinadoras aventuras a que podemos entregarnos. Surge ante nuestros ojos un anteayer ajado y dolido, anhelante de ser de otra manera, revolviéndose encrespado contra herencias dormilonas. El esperpento se nos llena de vida, de sentido, se puebla de armónicos extraños y, perdido el borde desencantado en que se movía hace unos años, se convierte en lo que realmente quiso Valle Inclán: en criatura artística, admirable, repleta de testimonio y de vida, libros de denuncia, formidable fe de vida de un hombre que ha mirado su paisaje humano con una angustiosa voluntad de perfección.

UN ESPEJO AL FONDO

Siempre que, por una u otra razón, nos hemos acercado al esperpento, la cita de los espejos del Callejón del Gato ha sido forzosa:

> Los héroes clásicos han ido a pasearse en el Callejón del Gato. —Los héroes clásicos reflejados en los espejos cóncavos dan el Esperpento. —Las imágenes más bellas, en un espejo cóncavo, son absurdas (E. XII).

He aquí, transcrita, la cita inicial de lo que ya se ha convertido en un lugar común. Los espejos cóncavos como fuente de toda deformación, y los concretos espejos del callejón del Gato como recurso para explicar esa deformación en los que aún alcanzamos a ver, en la pared de una callejuela madrileña, los famosos espejos, reclamo de inocentes miradas, de burlas al pasar. Ya se oye hablar de esos espejos en muchos lugares de la Tierra, en los que la oscura callejuela del corazón madrileño no tiene vigencia ni eco alguno. ¿Cómo reducir esos espejos a su justo lugar? ¿Es posible subordinar el nacimiento de una forma literaria a la condición previa de unos espejos? Digamos que no, aprisa, e intentemos razonarlo.

Ya se ha señalado la presencia de otros espejos en la obra de Valle Inclán anterior a *Luces de bohemia*. Ha sido Emma Speratti Piñero quien ha rastreado los espejos valleinclanescos. Salen con una relativa abundancia: Ya en *Sonata de Otoño*, en *Jardín novelesco*, en las *Comedias bárbaras*. Algunos de estos espejos son particularmente confusos y desazonadores: tales, los de las apostillas escénicas en *Águila de blasón*. En *Luces de bohemia* mismo, los espejos salen alguna vez más, también en las apostillas, como para mantener la continuidad del proceso estilístico de Valle Inclán:

> Un café que prolongan empañados espejos... Los espejos multiplicadores están llenos de un interés folletinesco (E. IX).

Estos espejos últimos se coordinan con el compás canalla de la música, con las luces débiles, con el vaho tembloroso del humo. La imagen es, pues, ya la deformada, la inestable y desasosegante del espejo cóncavo. Porque, y no hace falta una exégesis profunda para destacar esta verdad, lo que importa es la visión deformadora que tales espejos devuelven:

> El sentido trágico de la vida española sólo puede darse con una estética sistemáticamente deformada... "deformemos la expresión en el mismo espejo que nos deforma las caras y toda la vida miserable de España" (E. XII).

Estas últimas afirmaciones, unidas a otras desparramadas por el libro ("España es una deformación grotesca de la civilización europea" (E. XII). "¿Dónde está la bomba que destripe el terrón maldito de España?" (E. VI), etc.), son las que quizá no han sido tenidas suficientemente en cuenta para valorar el alcance del libro en el que, digámoslo de una vez, urge ver una llamada a la ética, una constante advertencia y corrección. Y a la vez, conviene tener en cuenta ese *deformemos,* afirmación clara de voluntad de estilo que es el pasar la vida toda por un sistema deformador. Cosas ambas que pueden hacerse muy bien sin necesidad de espejo alguno, sino con tesón intelectual.

Pero no nos desviemos. Sigamos los caminos puestos hasta ahora en claro para perseguir la evolución y el manantial de Valle Inclán. La relación con Goya ha sido denunciada de mil modos. Yo mismo, cuando hace años estudié la andadura de las *Sonatas,* lo destaqué. (No sólo con Goya, ya lección muda en un museo, sino con Solana, palpitante actualidad). En efecto, Valle cita a Goya ya en sus primeros libros. Pero es en *Luces de bohemia* donde el paralelismo se pone en evidencia: "El esperpentismo lo ha inventado Goya" (E. XII). En un agudo artículo, la señorita Speratti ha repasado algunos de los motivos goyescos que pueden ayudar a entrever el proceso de animalización que el esperpento revela [1]. Hay algunos de los dibujos goyescos, quizá los más conocidos, en los que es muy palpable la transformación: el petimetre que, ante el espejo, ve su imagen trocada en la de un mono; la maja que, en igual situación, contempla una serpiente enredada a una guadaña; el militar trocado en gato enfurecido, de enhiestos bigotes, etc. Sin embargo, el espejo es una coincidencia, y, como siempre, el resultado intelectual de una visión interior del artista. Más podrían valernos los numerosos casos de mezcla de formas humanas y animales que llenan las planchas de la serie (monos, aves, asnos, etc.). Por otra parte, no hay que perder de vista el gran supuesto del Valle Inclán joven —y de todo el ambiente modernista: la visión artística de la vida. La inex-

---

1 EMMA S. SPERATTI PIÑERO, *La elaboración artística en Tirano Banderas,* México, 1957.

cusable necesidad de vivir desde y para el arte—. Pude demostrar hace ya años cómo Valle Inclán había trasladado al Palacio Gaetani, de *Sonata de primavera,* una sala del Museo del Prado, reconocible aún, *Sonata* en la mano, antes de la última ampliación [2]. Ante este conocimiento tan meditado y caluroso, ¿por qué no pensar en el Bosco, ante la universal mueca que el esperpento refleja? Si ya se ha hecho forzoso citar a Quevedo al lado de Valle, ¿por qué no recordar que Quevedo citaba al Bosco con admiración? ¿No sería ésta una vía más de nexo, de estrecho lazo entre el modernismo y el nuevo arte de Valle a través de elementos artísticos? Y en cuanto al espejo como materia de logro literario, nos quedaría todavía que considerar su vigencia como motivo folklórico, tan vivo en narraciones e historias de valor tradicional, y que fácilmente podía ser reinterpretado por Valle Inclán [3].

Pero lo cierto ahora es que Valle Inclán ha hablado de unos espejos precisos, reales, exactos, que los primeros lectores de *Luces de bohemia* podían ver y buscar: los espejos de la Calle del Gato. Esos espejos han sido recordados viva-

---

2 A. ZAMORA VICENTE, *Las Sonatas de Ramón del Valle Inclán.* Buenos Aires, 1951. (Colección de Estudios Estilísticos, IV); reeditada en Madrid, Gredos, 1955 y 1966.

3 Los espejos desempeñan, además, un papel importante en la poesía de aire modernista y fácil de principios de siglo, especialmente los decorativos de los cafés (como en *Luces de bohemia*): "Yo te he visto en el fondo de un espejo encantado...", dice Villaespesa. Del mismo es este ejemplo: "En el único espejo, como en una / gangrenosa y pálida laguna / dejaron su espejismo los desiertos, / y en sus aguas verdosas y estancadas, / se ven todas las cosas deformadas, / como en el fondo de unos ojos muertos" (*Los cafés de Madrid,* Obras, II, pág. 890). También son acorde con la vida de bohemia en este pasaje de Emilio Carrere: "Café humilde y melancólico / cuyos espejos reflejan / pálidos rostros cercados / por las flotantes melenas; / amplias chalinas al viento / y ojos de enormes ojeras" (*Café de artistas, Antología,* pág. 167).

mente por algunos críticos. Cronológicamente, recordaré tres ocasiones de exhumación del tema: Pedro Salinas [4], yo (y pido perdón por ponerme en tan ilustre compañía) [5] y Guillermo de Torre [6]. Y los tres hablamos de los espejos, del Callejón del Gato, de lo bien que se nos acoplaba allí la deformación de Valle Inclán, etc. Pero no hablábamos de la deformación misma. Nos quedábamos los tres en un círculo de asedio, de asalto a una ciudad lejana, el esperpento, que se quedaba tan fresco después de nuestras lucubraciones. No, ninguno de los tres hacíamos crítica literaria al hablar de los espejos. Era un *Ah, sí, claro, ya me acuerdo,* y, prácticamente, nada más. Era algo que excedía de la crítica literaria para entrar de rondón en la zona acariciada de las añoranzas y las experiencias personales. Las pequeñas diferencias perceptibles en el recuerdo sobre la condición de la tienda que utilizaba tal reclamo (para Salinas y para mí, una ferretería; para Guillermo de Torre, una carbonería) y sobre el número de los espejos (dos en Salinas y Torre, más en mi memoria) sirven para demostrar perfectamente que los espejos vivían en un trasfondo nostálgico, y que, al citarlos, nos encontrábamos con algo nuestro, cordial y olvidado a fuerza de sabido y familiar. El Callejón del Gato y sus espejos han vuelto a funcionar en una provincia de íntima validez sentimental —siguen funcionando, cada vez que nuestra mirada se detiene, memoria herida, en el trozo ya célebre de *Luces de bohemia,* como funcionan al pasar por la callejuela aún viva y maloliente— y nos han impedido avanzar fría-

---

4 PEDRO SALINAS, *Significación del esperpento o Valle Inclán hijo pródigo del 98,* en *Cuadernos americanos,* México, VI, 1947. (Recogido en *Literatura española, siglo XX,* 2.ª edición, México, 1949, págs. 87-114.)

5 A. ZAMORA VICENTE, *Evocación del esperpento,* en *La Nación,* Buenos Aires, mayo, 1951.

6 GUILLERMO DE TORRE, *Valle Inclán o el rostro y la máscara,* en *La difícil universalidad española,* Madrid, Gredos, 1965.

mente en la búsqueda de otras raíces aclaratorias y de más amplio horizonte. Todos los madrileños que ya no somos muy jóvenes hemos ido a mirarnos alguna vez a los espejos de la Calle del Gato, alboroto infantil permanente, atracción de paseos ciegos y sin rumbo por la ciudad. A todos nos evoca ese rinconcillo entre la Calle de la Cruz y la de la Gorguera (hoy Núñez de Arce) la presencia de unos gritos, de unas risas, algo que no entra en el quehacer del oficio escogido muchos años después. También Valle Inclán habrá pasado innumerables veces ante esos espejos y habrá visto su propia figura, ya de por sí algo esperpéntica, en las paredes de la ferretería. Tenemos multitud de testimonios, anécdotas, citas, etc., que revelan cómo Valle Inclán llamaba extraordinariamente la atención por su atuendo y su figura personales [7]. Llevémosle ante los espejos de la propaganda comercial. Entre la parroquia variopinta, guasa viva, mordaz, que tenían siempre los dichosos espejos, no habrá faltado una voz, voz de la calle, que le haya destacado algún rasgo cómico al pasar. Ya nada más fácil que hacer una ligera pirueta mental y trasladar su vieja pompa modernista a la grotesca gesticulación que los espejos provocaban. En ese Callejón del Gato (de Álvarez Gato, el delicado poeta del siglo XV), atajo para ir del centro, de los numerosos cafés del centro, al Ateneo, al Teatro Español, de vuelta de innumerables tertulias, Valle Inclán ha visto reflejadas, un brillo

[7] Espigando en estos testimonios, recojo dos por significativos: "En cuanto anochecía, la Puerta del Sol era mi centro. Recuerdo que allí pasó muchas veces ante mi vista el fantasma sombrío de una especie de esqueleto con melena merovingia, capa, chistera y una faja en vez de corbata, arrollada mil veces al pescuezo. Era Valle Inclán, desconocido" (PRUDENCIO IGLESIAS HERMIDA, *Gente extraña*, pág. 118) "Una tarde, frente a la puerta del Casino de Madrid un grupo de caballeros despiadados le hizo burla [a Valle] (su extraña presencia incitaba, justo es decirlo), y la emprendió a palos con todos". (LUIS RUIZ CONTRERAS, *Memorias de un desmemoriado*, pág. 199.)

inédito en el mirar, conversaciones, actitudes, aquiescencias, profesiones... Y ahí está su explicación del espejo, un gesto más ante el modesto, ingenuo reclamo de una ferretería. Aceptémosla como una más de sus copiosas invenciones, quizá como una de tantas apostillas del escritor decididamente visual que fue Valle Inclán, explicación que ha trascendido para siempre la existencia de ese pasadizo oscuro, triste, camino de ninguna parte.

UNA LITERATURA DE ARRABAL

Sin embargo, no creo que debamos atenernos *exclusivamente* a la explicación de los espejos. Sí, nos da, como era de esperar, una súbita luz sobre la deformación grotesca, pero no puede proyectarse sobre la deformación misma. Quizá no sea inútil buscar por otro lado, a ver si hallamos algo que, en su tiempo, pueda ayudarnos a ver, desde la vida cotidiana, desde la morada humana del hombre Valle Inclán, pueda ayudarnos, digo, a ver la concepción del esperpento como un todo armónico. Y creo haber encontrado algo muy sugerente e ilustrador. Es indudable que a una lectura rápida de *Luces de bohemia* nos brota un impreciso regusto de sainete, de zarzuela con tonillo de plebe madrileña y ademán desgarrado. Este regusto se enreda con otros, es verdad, pero el hálito que más corporeidad alcanza de los varios que se desprenden de *Luces de bohemia* es el que el idioma despide: voz de la calle madrileña, cultismo y argot reunidos, creaciones metafóricas momentáneas, acunadas por una brisa a veces coloquial, a veces leguleya.

Nos sobran testimonios probatorios de la debilidad literaria de Valle Inclán. Aprovecha multitud de veces elementos de obras ajenas (en ocasiones obras enteras) para reelaborarlos con aguda maestría (D'Annunzio, Merimée, Espronceda, cronistas de la conquista americana, el Dr. Atle, Ciro

Bayo, etc.). ¿Por qué no habíamos de encontrar un pariente análogo en el trasfondo del esperpento? Una mirada al género chico, a los sainetes, a la poesía populachera de circunstancias, comenzaba, muy aprisa, a deparar algunas sorpresas. Ante todo, la decisión de usar literariamente, voces hasta entonces desterradas del ámbito literario. Por rápida que sea esa mirada, encontramos en seguida un léxico que vamos a reencontrar, revestido ya de dignidad literaria, en *Luces de bohemia*. Por ejemplo, Antonio Casero utiliza (no pretendo en manera alguna ser exhaustivo ni hacer estadística, sino solamente dar el espacio vital de cierto léxico) expresiones como *un casual (Los gatos,* en *Discreteos); chanelar (idem, En el ambigú); ir* o *estar de incóznito, ser un pipi (idem);* López Silva utiliza en su poesía *guripa, menda, guillárselas,* etc. Y aún nos tropezamos con algo muy familiar dentro de la arquitectura de la obra valleinclanesca: la cita de trozos literarios ilustres, a que tan aficionado es, y, especialmente, de Espronceda. Antonio Casero, en *El juicio del año,* dice:

> C'haiga un cadáver más, ¿qué importa al mundo?

Ante estas pistas prometedoras, vale la pena acercarse a esa literatura finisecular, costumbrista, teatral, orillada de cantables, en la que el pueblo de Madrid se veía oscuramente halagado. Debemos reconocer que, durante muchos años, esa literatura ha estado arrinconada, olvidada desde la gran altura que supuso la producción noventayochista y la subsiguiente, con la natural alteración en la trayectoria del gusto colectivo, pero no debemos despreciar sistemáticamente esos años del cruce entre los siglos XIX y XX. Existieron, tuvieron sus alzas y bajas vitales, y tuvieron, forzosamente, que dejar huellas en los jóvenes de entonces (el caso de Valle Inclán), en los que estrenaban su vocación de escritor y que pasaron ese tiempo con el alma alerta, tensa de novedades y afán de vivir. Es muy difícil escapar en la época de máxima plasticidad, a los pesos externos. Esa literatura, canturreada o recitada por todas partes, insensiblemente casi, con una frecuencia que hoy no podemos comprender (recordemos las numerosas funciones diarias y los copiosos teatros dedicados a ellas) acabaría por hacerse un hueco ineludible, por hacerse camino, por llegar a una meta más alta que la del público municipal y medio a que se dirigía. De añadidura, esas breves obrillas habían conseguido un espaldarazo, el de Rubén Darío, quien, en el prólogo de *Cantos de vida y esperanza*, en 1905, en el período de su más alto prestigio como jefe de la poesía renovadora, decía: "En cuanto al verso libre moderno... ¿no es verdaderamente ejemplar que en esta tierra de Quevedos y Góngoras, los únicos innovadores del instrumento lírico, los únicos libertadores del ritmo, hayan sido los poetas del *Madrid cómico* y los libretistas del género chico?". Tal afirmación, proviniente de Rubén Darío, personaje de *Luces de bohemia*, tenía que ser un mandato casi para Ramón del Valle Inclán. En esa zona de teatro arrabalero, localista y vulgar, de vuelo con las alas rotas, tenía que haber algo. Había, por lo pronto, vida, un calor efusivo y fácil. Aunque la advertencia de Rubén no incida justamente sobre nuestra preocupación de hoy, la traigo aquí solamente como prueba de que algo había escondido detrás de esa zona popular —populachera casi— de teatro cantable o de sainete breve y alborotado, desde los que campeaba, eso sí, vibrante, enérgica, una alocada necesidad de burla, quizá de aturdimiento.

LITERATURA PARÓDICA

Pero hay una variante de género chico particularmente interesante para nuestro propósito de hoy. Se trata de una ladera que, preocupada fundamentalmente con la burla, la broma, coloca ante un imaginario espejo cóncavo otras obras de cierta importancia. Creo que en esta manifestación paródica de la literatura teatral hay un claro antecedente del esperpento.

Fueron numerosos los frutos de la actividad paródica. Los libretistas y compositores encontraron en este sistema un procedimiento de renovación y nueva savia. Se parodiaron dramas y comedias famosas, óperas y zarzuelas. Medio mundo se ríe del otro medio: estreno en el Teatro Real, o en las salas distinguidas y opulentas, y, al poco tiempo, sin respiro casi, se estrena la parodia en otros teatros "populares", y, a veces, en alguno céntrico. Cara y cruz de la misma moneda. *La bofetada,* de Pedro de Novo y Colson, se estrena en el Teatro Español, el 15 de febrero de 1890. Un mes después, en Apolo, *El mojicón,* forma bien popular, y manual diríamos, de la bofetada. *Dos fanatismos,* de José Echegaray, fue dada al público por vez primera también en el Teatro Español, el 15 de enero de 1887. Quince días después el Teatro Lara estrena *Dos cataclismos,* donde la obra de Echegaray es puesta en el más abrumador ridículo.

Un tumulto de carcajadas escolta la parodia desde que se levanta el telón hasta el silencio final. "En España podrá faltar el pan, pero el ingenio y el buen humor no se acaban", afirma un personajillo de *Luces de bohemia*. "Y así, revertiéndonos la olla vacía, los españoles nos consolamos del hambre y de los malos gobernantes. Y de los *malos cómicos, y de las malas comedias,* y del servicio de tranvías, y del adoquinado" (E. VII). Consuelo —¿eficaz?— debió ser este arte intrascendente, fatigante a fuerza de risas. Las parodias iban por caminos muy variados en su realización (un último extremo sería el *Tenorio* modernista, con sus *lapsos* por 'actos' y su *rotulación idiosincrática,* caricatura del léxico brillante y extraño de la poesía modernista), pero, en general, el procedimiento común se detenía en los fallos o debilidades de las obras parodiadas, a fin de poner en evidencia lo que de falso, ridículo o trasnochado encerraba la inmediata fuente de inspiración. Es decir, algo muy próximo a la deformación grotesca del esperpento, lograda a fuerza de una consciente degradación, de un tozudo rebajamiento en la escala de valores. Uno de los escritores que más destacó en la parodia fue Salvador María Granés, fecundísimo libretista (bordea el centenar de títulos la producción impresa). La tarea de Granés no conoció límites. Encuentro a Salvador María Granés en una portada de *Madrid cómico,* 16 de junio de 1900, por Leal da Cámara. El pie, en verso, dice: "Aunque alguien le quiera mal / porque toma el pelo al pelo / con ingenio sin rival, / Salvador es el Frascuelo / de la parodia teatral". Con motivo de su muerte, en 1911 (VELASCO ZAZO, *El Madrid de Alfonso XIII,* pág. 247), el *Retablillo literario* de *Madrid cómico* (13 de mayo), a cargo de Emilio Carrere, le dedicó unas líneas: "Pertenecía a la pléyade regocijada de escritores chistosos, desordenados, bebedores y truhanes que constitutían la bohemia española de hace cuarenta años". Carrere cuenta que Granés había vendido una obra a tres editores diferentes. Después de hecho el trato, los reunió, y: "¡Ni aun así podemos vivir los literatos! ¡Son ustedes una canalla!" Ya hemos visto cómo convirtió *Dos fanatismos,* de Echegaray, en *Dos cataclismos;* es también el trocador de *La bofetada,* de Pedro de Novo, en *El mojicón.* La lista abrumadora sigue por ese rumbo: *La pasionaria,* de Leopoldo Cano, se hizo en sus manos *La sanguinaria; Thermidor,* drama de Sardou que logró gran éxito en Madrid, se trocó en *Thimador.* Pero su mayor dedicación fue encaminada a la parodia de óperas y zarzuelas. *Carmen,* la ópera de Bizet, se convirtió, en 1891, en *Carmela,* con música de Tomás Reig; *Tosca,* de Puccini, se transformó en *La Fosca,* con música del maestro Arnedo. *El molinero de Subiza* se cambió en *El carbonero de Suiza,* y *El salto del pasiego* en *El salto del gallego. La Dolores,* de Bretón, se trocó en *Dolores... de cabeza; La balada de la luz,* zarzuela muy bien acogida por el público, obra de Eugenio Sellés y música del maestro Vives, se convirtió en *El balido del zulú.* Los títulos podrían multiplicarse, siempre con gran fidelidad al sistema entre grotesco y escarnecedor: *Los enemigos del cuerpo, Una ópera en Azuqueca, Florinda o La cava... baja,* etc. Pero en esa copiosa lista de muecas burlonas ante la realidad hay una que nos interesa particularmente: *La Golfemia,* parodia de *La bohème,* de Puccini, obrilla estrenada en el Teatro de la Zarzuela el 12 de mayo de 1900. *Gedeón,* en 16 de mayo, da noticia del estreno de *La golfemia.* No he logrado desentrañar las alusiones que hace la crítica a "un profesor" (¿Navarro Ledesma? ¿R. Fernández Villaverde?) que ya veía *golfos* en *La bohème.* No puedo precisar la vigencia oral, coloquial, de la palabreja *golfemia,* pero es indudable que debió de circular mucho y quizá incorporarse a la conversación ordinaria, desprendida de su origen literario. La veo usada normalmente, sin conexiones escritas, por crítico tan destacado y agudo como Guillermo de Torre en su último ensayo sobre Valle Inclán: los personajes secundarios de *Luces de bohemia*, en la expedición identificatoria de Guillermo de Torre, "no admiten —dice— ni necesitan más que entre interrogantes una identificación precisa; son la golfemia —mezcla de golfería y bohemia— o, si se quiere, dicho más noblemente, componen el antiguo coro de las tragedias y zarzuelas". Se ve con deslumbradora claridad que el crítico ha utilizado corrientemente el término probablemente como una situación repetida de los años en que esa palabra circulaba, y vemos, además, que, al emplearla, está muy lejos de pensar en la parodia estrenada en 1900, cuando Ramón del Valle Inclán andaba por los treinta y cuatro años [1].

Andamos, pues, por un estrecho sendero *Bohème-bohemia-golfemia*, que nos lleva a través del ambiente de un Madrid "absurdo, brillante y hambriento". El mundo de artistas pobretones, desmelenados, desciende esa escalera hacia la ceniza total: un eco más o menos cercano de los personajes iniciales queda aún en la parodia de la ópera: Mimí se convierte en la Gilí; Rodolfo, en Sogolfo; el músico queda en organillero; Marcelo, pintor, se convierte en Malpelo, pintor de brocha gorda. Y así sucesivamente. ¿No hemos puesto las grafías consagradas, para seguir con la crítica tradicional del Callejón del Gato, ante un espejo deformante? En efecto. Veamos cómo funcionan las parodias y de qué procedimientos se valen.

---

[1] En 1908, *golfemia* podía ser recogida como sustantivo usual en Madrid. Véase ROBERTO PASTOR Y MOLINA, *Vocabulario de madrileñismos*, en *Revue Hispanique*, XVIII, 1908, núm. 53, págs. 51-72.

Lo primero es una inocente disimulación de los nombres conocidos. Acabo de señalar cómo se cambian los personajes de *La bohème*. Hay siempre un abatimiento claro, burlesco, ridículo, en el trueque de los nombres, pero en el que se deja abierto un portillo al reconocimiento. Por leve que sea la familiaridad con el texto original, reanudaremos el contacto con el personaje auténtico. Así, *Tosca* se convierte en *Fosca; Cavaradossi* en *Camama en dosis;* el malvado *Scarpia*, en el más popular y martillable *Alcayata*. Puede reconocerse a la marquesa *Attavanti* en la *Echá palante*, propietaria de una taberna. En la parodia de *Curro Vargas*, la obra aplaudidísima de Joaquín Dicenta y Manuel Paso, el personaje se llama *Churro Bragas;* la madre de Soledad, *Angustias* en la comedia, se llama aquí *Fatigas;* etc. En *El mojicón*, el héroe principal, Marqués de Leiza, se convierte en el *Lezna; Alberto*, en *Ruperto;* y el *Doctor Aranda* en el *Albéitar Mal Anda*. Los personajes de *Dos fanatismos* se truecan de manera análoga: Don Lorenzo Cienfuegos y don Martín Pedregal, los dos fanáticos exclusivistas, son, respectivamente Lorenzo Cienchispas y Martín Pedernal, con lo que la constante fricción en que viven ambos queda patentemente expuesta aún para el más ignorante. Detrás de estas caretas se adivina la concesión a una monumental carnavalada de dudoso gusto, basada en sentimientos muy elementales y a flor de piel (envidia, resentimientos, frustraciones, etcétera). A veces, la deformación del nombre obedece a una simple mala equivalencia acústica. Tal ocurre en casos como *Turrón de Gijona* por *Terrón de Girona*, nombre de un personaje que protesta por el equívoco en *El gorro frigio*, sainete de Félix Limendoux. (Y cito este caso para ver solamente que también en producciones no paródicas podía darse el procedimiento). En fin, nombres, detrás de los cuales el espectador medio sabe que algo se oculta. Dada la frecuencia, el hábito de la parodia, ya cabe pensar que para mucha gente sería fácil suponer a alguien detrás de cualquier nombre, hubiese figurado o no tal intención en la mente del escritor. ¿No nos estamos acercando insensiblemente a la reiterada manía de reconocer a todos los personajes de *Luces de bohemia*? ¿No es ya un hábito el preguntarnos todos, al abrir las páginas desazonantes del libro, "quién será éste, y quién será aquél"? Los nombres han sido desvirtuados, algunas veces mucho, pero han quedado los datos. (No olvidemos que *Luces* es un libro para una minoría entonces muy familiarizada con lo que allí se dice). No ha sido difícil reconocer a Ciro Bayo detrás de don Peregrino Gay. Quedan en el nombre aún las resonancias de sus peregrinaciones por tierras y pueblos de un lado y otro del Atlántico, del hombre que "ha escrito la crónica de su vida andariega en un rancio y animado castellano". La prosa de *Lazarillo español* y de *El peregrino entretenido* se asoma tras el doblez de la página. ¿Cómo no se iba a reconocer este personaje entre gentes que, como Azorín, habían escrito con calificativos análogos a los de *Luces* sobre la obra de Ciro Bayo? [2].

Emilio Carrere escribió sobre Ciro Bayo en *Madrid cómico* (*Retablillo literario,* 31 de diciembre de 1910): "Don Ciro es hombre ecuánime, alto y magro, con ojos oscuros y zahoríes, y nariz encendida de bebedor...". Un resumen claro de la vida de Ciro Bayo se puede ver ahora en LUIS S. GRANJEL, *Maestros y amigos del 98: Ciro Bayo,* en *Cuadernos Hispanoamericanos,* n.° 206, febrero, 1967. No he visto referencia en este trabajo al posible viaje londinense de Ciro Bayo, pero resulta ilustrador —y desde luego total-

2 Véase, para la relación literaria Valle-Ciro Bayo, el estudio de JOSEPH H. SILVERMAN, *Valle Inclán y Ciro Bayo: Sobre una fuente desconocida de Tirano Banderas,* en *Nueva Revista de Filología Hispánica,* XIV, 1960, páginas. 73-88.

mente verosímil— el que Ciro Bayo copiase el *Palmerín de Inglaterra,* ejemplar único (como se afirma en *Luces de bohemia*) existente en el Museo Británico (PALAU Y DULCET, *Manual del librero hispanoamericano,* XII, Barcelona, 1959), que fue editado por A. Bonilla en el tomo XI de la Nueva Biblioteca de Autores españoles. Tendríamos así un nuevo esguince entre verdad y fantasía, a través de los nombres que se escapan por *Luces de bohemia*: "En dos meses me he copiado en la Biblioteca Real el único ejemplar existente del Palmerín de Constantinopla". La edición moderna habla, sin más, de *nuestro copista.* (Pág. 637.) Desde luego el trabajo de Ciro Bayo para tareas editoriales está fuera de dudas, incluso con la casa Bailly-Ballière, editora de esa colección (GRANJEL, *loc. cit.* pág. 207).

¿Ha sido un esfuerzo reconocer detrás de Zaratustra al viejo librero Pueyo, editor de tantos y tantos escritores del tiempo? Pero ¿por qué esa librería y no otra cualquiera de las que había por las calles de Jacometrezo y del Horno de la Mata, antes de la alteración del barrio por la Gran Vía? Pío Baroja ha dado testimonio indirecto de la librería en *Las horas solitarias:* "Este librero suele hacer en el fondo de su barraca una especie de tienda de campaña con cuatro lonas, y allí suele estar escondido a las miradas del público, en invierno al lado del brasero, donde quema tablas que echan un humo irrespirable" [3]. Ese brasero es el que sigue

[3] *Obras completas,* V, pág. 234. Otros varios escritores han recordado la librería y a su propietario, destacando el ambiente sórdido de la covacha y las grandes narices del librero —aparte de la ayuda innegable que proporcionó a los jóvenes escritores. Ramón Gómez de la Serna es gráfico y vivaz: "Por allí estaba [en torno a Jacometrezo, destrozado por la Gran Vía], Pueyo, el editor y librero del movimiento, esquina a Mesonero Romanos. Era un librero con una gran nariz, nariz palillero, que guardaba los libros en un sótano, colgaba dos vitrinas en la puerta..." "Pueyo era un gnomo agrandado, y se quedaba con los saldos de toda la literatura modernista a diez céntimos el ejemplar. [...] Aún manipulando a ciegas en aquella sór-

proyectando su humo maloliente, en espirales de pobreza y desamparo, y ya definitivamente, desde las páginas de *Luces de bohemia.* No importa que nos equivoquemos en el margen detectivesco de las localizaciones rigurosas: eso no

---

dida tienda era el único que se compadecía de los invendidos y en su canjeo y espera fue haciendo dinero y a veces adelantaba unos duros a algunos de aquellos poetas de pipa y chalina" (*Retratos contemporáneos,* página 22-23). Alberto Insúa, en sus *Memorias,* tiene también un recuerdo para el lugarejo que debía suponer mucho entre los aprendices de literato: "Eran los tiempos, afortunadamente idos, de la bohemia literaria, de la librería de Pueyo, en un tabuco de la calle de Mesonero Romanos, donde Carrere cobraba, uno a uno, los sonetos que habían de formar un libro" (I, pág. 492). Es muy interesante el testimonio de Felipe Sassone, por las citas artísticas y literarias (los *Caprichos* de Goya y el arte de Quevedo), tan expresivas del ambiente general en que nos estamos moviendo: "Gregorio Pueyo tenía una librería pequeña y oscura como una covacha, pero muy nutrida de obras novísimas, en la vieja y no lujosa calle de Mesonero Romanos, y allí acudíamos los principiantes que el buen don Gregorio procuraba allegarse, como se había erigido en mentor y protector de la juventud literaria. Era un gran tipo: más viejo que joven, prematuramente curvo el espinazo, acaso de tanto leer, y tenía una voluminosa cabeza que parecía arrancada de un *capricho* de Goya. Desaliñado en el vestir, bolsas de rodilleras en los pantalones; una pelambre de caballo alazán; las cortinas deshilachadas de su bigote rojo y sin guías, sobre los labios gruesos, y el promontorio central de una nariz enorme, nariz de máscara grotesca, que evocaba el famoso soneto de Quevedo" (*La rueda de mi fortuna,* pág. 311).

Finalmente, redondea esta conciencia de jóvenes escritores que pululan en torno a un librero, en toma y daca de favores, ediciones, préstamos, etc., la cita de la librería por el crítico que más resuena en el tiempo, Cansinos Assens: "Volvemos a ver a Villaespesa, rodeado de amigos, huroneando en la librería de Pueyo, el formidable Pueyo, nasón como Ovidio, editor de todos los primeros libros modernistas, con su nariz enorme y pendiente, que le da el aspecto de esos burgueses de Boccaccio, víctimas de todas las burlas florentinas, Pueyo, el Aldo Manuccio de esta juventud, el editor taimado y bondadoso, del cual todos dirán que les ha beneficiado, mientras él jurará que el saqueado ha sido él; y se lamentará siempre... con esa monotonía de los editores que no venden los libros y hacen pensar en los labriegos para los cuales nunca llueve bastante. [...] Ha sido el padrino del modernismo, por la sonoridad de este nombre [...] Pueyo, esos ojos que parecen seguir con tristeza la fuga de la nariz pendiente (*La nueva literatura,* II, pág. 172). También Eduardo Zamacois ha evocado la librería en *Un hombre que se va,* págs. 172-174.

importa. Sí es en cambio válida la visión que despierta de horas de frío y de cansancio, paseadas sin rumbo, acostadas al refugio de una tertulia entre libros —libros ajenos— en un rincón de editor —que quizá nos engañe—, sin más bagaje que el desaliento y la bien hincada vocación de escribir. En ese mote, Zaratustra, cuánto de la charla sobre Nietzsche se deja entrever, ese Nietzsche que llenó de pasmo a la juventud del 98. El mote nietzscheano debió emplearse aplicado a varias personas, por razones obvias; pero lo importante ahora es destacar su vigencia en esos días cruciales. Alberto Insúa se lo aplica —por los mismos años— a Pedro González Blanco, quien "demostraba en su conversación haber leído y estar leyendo mucho y que, según decían, era el nietzscheano más competente de Madrid. Algunos le llamaban *Zarathustra,* sin que él se molestase". (*Memorias,* I, pág. 438).

Pero sigamos con los reconocimientos. La minoría lectora, el público en que piensa Valle Inclán, reconoce al Ministro de *Luces de bohemia.* Se trata de Julio Burell, periodista amigo de los intelectuales, el que nombró a Valle Inclán profesor de Estética de la Escuela de Bellas Artes, en 1916. Burell fue ministro de la Gobernación en 1917, de abril a junio, en que, bajo el Gobierno Dato, le sucedió en el Departamento Sánchez Guerra. Volvió a ser Ministro de Instrucción Pública en noviembre de 1918, también muy fugazmente. (Ya no lo es en enero de 1919.) Se trata, pues, de una de esas sombras que pueblan la trágica mojiganga. Pero su trato con los escritores, sus favores a varios de ellos, su acusada personalidad de hombre de letras en un sentido general, vocación arrinconada quizá por la política, se ve bien palpablemente en el personaje del esperpento. Sobre todo, eso: el contraste entre una vocación y una forma de vida más brillante, pero quizá envuelta en sutiles purpurinas[4]. En el entierro de Max Estrella nos encontramos con Basilio Soulinake, "fichado en los registros de la policía como anarquista ruso". Se trata de Ernesto Bark, ruso emigrado, que escribió diversas obrillas de difícil catalogación, pero entre las que descuella *La santa bohemia,* opúsculo de 1913, donde nos encontramos con todas las caras conocidas de ese submundo nocherniego de cafés, buñolerías, mucho aguardiente y poco dinero. El propio Sawa anda entre las páginas absolutamente olvidadas hoy de Ernesto Bark. Y la noticia de su anarquismo nos llega a través del propio Alejandro Sawa: Ese Ernesto Bark —nos dice en *Iluminaciones en la sombra,* su libro póstumo— "podría llamársele un excesivo. ¿Tuvo allá en sus mocedades, curiosidad del mundo? Recorrió Europa. ¿Tuvo el ansia intelectual de convertir las ideas en dinamita? Fundó en Ginebra un periódico revolucionario. ¿Quiso diluirse en arte y armonía? Fue virtuoso en Italia. ¿Quiso amar con todas sus potencias y ser

---

[4] El trato entre Burell y Sawa nos lo recuerda Azorín en *Charivari* (1897). Sawa, refiriéndose a un artículo propio, aparecido en *El Heraldo,* artículo, según Azorín, "desatinado e incongruente hasta lo inverosímil", dice a este último: "—Ayer vi a Burell por la calle y me dijo: He leído eso. ¡Así se escribe, maestro!" (*Obras,* I, pág. 271). (Véase también *Iluminaciones en la sombra,* pág. 134, donde Sawa habla de su consideración por Burell.)

Prudencio Iglesias Hermida nos ilustra algo sobre la estimación que Burell disfrutó: "Repaso una colección de periódicos un poco vieja. Salta la firma de Julio Burell y leo distraído unos párrafos primeros. La sorpresa me clava al suelo. ¿Es posible que este hombre sea ministro? Un ministro es un ser gris, y este Julio Burell es un escritor estupendo, el primer periodista de esta época" (*Gente extraña,* pág. 182). Burell ha vuelto a ser recordado por Azorín en JORGE CAMPOS, *Conversaciones con Azorín,* páginas 23 y 52).

Sin embargo, y como prueba de la niebla voluntariosa que rodea estas figuras, recordaré que se ha pensado también en Augusto González Besada, personaje con el que Valle mantuvo relación. (J. CEPEDA ADÁN, *El fondo histórico social de Luces de bohemia,* en *Cuadernos hispanoamericanos,* julio-agosto, 1966, pág. 241.)

amado? Fue esposo en España. Y siempre, perdurablemente, fue un gran exagerado del pensamiento en acción" [5]. Aún dice más cosas Sawa sobre su amigo Ernesto Bark, el hombre que supone que no está muerto Max Estrella y necesita comprobaciones científicas. Es cierto que, para nosotros, Ernesto Bark no es nada: tan sólo un nombre. Sin embargo, sentimos una escondida simpatía por esta figura rebelde y anónima, que llegó a la turbamulta hambrienta de Madrid, Dios sepa con qué azares fugitivos a la espalda, que aún le quedaban ganas de escribir, de luchar con editores e impresores, y quizá de acariciar sueños de conspirador.

Ernesto Bark, el "hombre alto, abotonado, escueto, grandes barbas rojas de judío anarquista y ojos envidiosos", de *Luces de bohemia,* era visto así por Alejandro Sawa: "Ernesto Bark, que lleva una llama por pelos en la cabeza, y cuyos ojos árticos lanzan miradas de fuego que ignoran las más ardientes pupilas meridionales..." "...yo quiero dejar dicha mi amistad por un hombre al que mi rostro social no fue antipático y que es inmensamente hombre de corazón y de cerebro, el peregrino apasionado de la Verdad y de la Justicia" (*Iluminaciones en la sombra,* págs. 238-239).

Entre las varias actividades que el cotidiano vivir impuso a Bark-Soulinake estuvo la no muy agradecida de dar clases. Clases de idiomas. He aquí cómo le recuerda un joven que fue su alumno, Alberto Insúa: "Lo único un tanto

[5] *Iluminaciones en la sombra,* págs. 238-239. Ernesto Bark fue cofundador, con Eduardo Zamacois, y algún otro escritor, de *Germinal (Un hombre que se va,* pág. 153). En *Los vencidos, novela política* (Alicante, 1891) ya recoge una lista no desdeñable de títulos publicados. Ernesto Bark había aparecido ya con anterioridad en una olvidada narración de Valle Inclán, bajo el nombre de Conde Pedro Soulinake. La narración se titula *La corte de Estella* (1910), y ha sido analizada por JACQUES FRESSARD, *Un episodio olvidado de "La guerra carlista",* en *Cuadernos hispanoamericanos,* julio-agosto, 1966, págs. 347 y sigs. También aparece este personaje en *La lámpara maravillosa.*

desigual era el profesor, que enseñaba él solo los tres idiomas y no era ni alemán, ni francés, ni inglés, sino ruso. Sabido es la facilidad de los eslavos para el aprendizaje de las lenguas extranjeras. Don Ernesto Bark, que así se llamaba aquel polígloto, me dio clases de francés, muy provechosas, durante varios meses. Éramos media docena de alumnos. En el aula —un gabinete muy pequeño, sin esteras y con sillas de enea—, algunas noches se notaba demasiado el frío, y el profesor frotándose las manos, bromeaba:

—Más hace en Siberia... Si ustedes hubiesen estado en Siberia...

Don Ernesto Bark tenía el pelo y la barba azafranados, los ojos azules y la mirada penetrante. Además de profesor de idiomas era publicista. Publicaba en nuestra lengua unos folletos y libros, bastante bien redactados, en los que exponía las ideas de Bakunin, de Kropotkin y las propias. Comunismo, anarquismo, nihilismo, ¡qué sé yo! Al enterarse de mis aficiones literarias, Don Ernesto Bark me regaló algunas de sus obras. No me convencieron. Además, yo no sé qué de diablo —de pobre diablo— le encontraba yo a Don Ernesto con su pelo rojo, su barba enmarañada y su chaqué brillante por el uso para que sus argumentos amenazantes de nihilista, lejos de asustarme, me hicieran sonreir. "Yo creo —pensaba— que si Don Ernesto pudiera comprarse ropa y poner una estufa en su casa pensaría de un modo muy distinto". Tal vez me equivocaba y se tratase de un "convencido apóstol de la sociedad futura" cantada por su Bakunin y su Kropotkin. Pero, siéndome como me era muy simpático, me resultaba totalmente imposible tomar en serio la figura y las teorías políticas de mi curioso profesor de francés" (*Memorias,* I, páginas 344-345).

Nadie sabe cómo fue la escena auténtica del entierro (en la que tanto hay de desnuda, estremecedora verdad), pero lo cierto es que Ernesto Bark se reconoció en Basilio Soulinake, que es lo esencial. Azorín me ha recordado en una conversación privada que Ernesto Bark, al leer la entrega de *Luces de bohemia* donde se narra el entierro, se dejó arrebatar por la furia y arremetió contra Valle Inclán a bastonazos, calle de Alcalá, acera del Banco de España. Azorín recuerda cómo Valle Inclán, "un poco asombrado", le consultó qué debía hacer. El asombro de Valle nos prueba que los parodiados o imitados tenían el hábito de dejarse llevar, de sonreir, y no el de tomar decisiones arrebatadas. Sin duda alguna, la memoria de Azorín recaía sobre el mismo episodio que relata Pío Baroja en sus *Memorias (Galería de tipos de la época,* pág. 172), líneas en las que sobresale el ambiente de recelo, de intranquilidad, del desterrado: "...era Ernesto Bark, letón, alto, rubio y con aire alucinado, extraño. Bark daba lecciones de varios idiomas y se mostraba radicalísimo. Tenía tipo verdaderamente raro. Era lo que más le caracterizaba". "Le conozco de verle en la calle y porque es amigo de Sawa. Ha tenido últimamente una riña con Valle Inclán, no sé por qué, y se han amenazado, y Bark ha levantado el bastón" (pág. 172).

Aún hay más gente que pudo reconocerse en el libro, detrás de la máscara de un nombre. No ha faltado quien haya entrevisto incluso un modelo vivo para la Pisa Bien, en una vendedora callejera de lotería, uno de aquellos personajes de la calle madrileña que todo el mundo conocía y que vivían de manera misteriosa y casi legendaria [6]. Dorio

[6] La vendedora era conocida por el sobrenombre de "Ojo de plata", según cuenta FRANCISCO MADRID, *La vida altiva de Valle Inclán*, Buenos Aires, 1943, pág. 248.

El trato de los escritores asiduos a los cafés con estas mujeres era bastante frecuente. Valga como prueba el recuerdo de *Madame Pimentón*, de Gadex firmó así, tenía ya su personalidad admitida como poeta y bohemio. El "ceceoso como un cañí" hunde en la prosa cotidiana el Gadex del apellido literario. "De los más eximios galloferos de aquel momento" le llama Eduardo Zamacois en sus memorias. Este mismo autor nos dice de la manía que "Don Dorio" (así le llama) tenía de hacerse pasar por hijo de Valle Inclán, anécdota que cuenta entre las más pintorescas del nutrido repertorio de nuestro autor [7].

---

uno de esos seres marginales, alcoholizados, que cantaba en las terrazas de las aceras, y que obtuvo un premio en una broma de dudoso gusto. (EDUARDO ZAMACOIS, *Un hombre que se va*, pág. 248). En *Madrid cómico* (11, junio, 1910) encontramos la noticia del banquete celebrado en honor de la mujer aludida. El cronista habla de que nada valieron en contra del homenaje las presiones de las "personas serias", quienes quizá vieron "en este acto la parodia de otros celebrados recientemente" (consideremos esa nueva y sangrante vigencia de la parodia). Madame Pimentón fue obsequiada con una manteleta de honor, y el escritor López Silva le dio algún dinero. Leyeron poemas en el acto López Silva, Pérez Zúñiga, Jackson Veyan, Luis de Tapia, Gabaldón, Ordóñez, es decir poetas de la guasa y la ironía. Ya en el anuncio del banquete, aparecido días antes (*Madrid cómico*, 4 de junio), se anunciaba la presencia del alcalde de Madrid, entonces Francos Rodríguez, y de la plana mayor del género chico, periodistas y dibujantes.

7 *Un hombre que se va*, pág. 181. Dorio de Gadex sale varias veces en las memorias de Felipe Sassone. He aquí cómo le describe: "...otro tipo pintoresco era un pobre muchacho andaluz, natural de Cádiz, muy aficionado a la literatura, que no lograba vivir de ella. Desmedrada la figura, escaso el saber, como había leído poco y a saltos, tenía claro el entendimiento y una fina sensibilidad de artista. Llamábase Antonio Rey Moliné, y firmaba con el seudónimo de Dorio de Gadex los cuentecillos y breves ensayos críticos que por favor le publicaban de cuando en cuando. Uno de los novelistas del día, escritor erótico de atrevidas concepciones y arbitraria prosa, a quien Villaespesa, prodigador de motes, llamaba el D'Annunzio de Mérida —he nombrado a Felipe Trigo— sacó en una narración a Dorio de Gadex, y dijo al describirlo que tenía color de *leche vomitada*. Nada elegante la imagen, era en cambio verdadera por la blancura cadavérica, de cal azulada, que tenía el rostro del pobre Antonio, todo cacarañado de viruelas. Sin padre ni madre ni perrito que le ladrase; sin tener sobre qué caerse muerto, aunque en trance de ello le pusiera muchas

Gálvez es Pedro Luis de Gálvez, sonetista famoso en el mundillo posrubeniano, y quien, a juzgar por los recuerdos de los contemporáneos, albergaba por igual la descarada picaresca y la audacia más insospechada. Es el tantas veces citado como portador del cadáver de un hijo por los cafés, pidiendo dinero para enterrarle, y quien vendió a su mujer,

---

veces el hambre, no era pícaro como Oliverio, sino entrometido con audacia, pero buscón con timidez, a la caza de un café, de un pitillo y hasta de la peseta de añadidura que alguien quisiera darle y que él nunca pedía. No tendría más de los veinte años, y era muy expeditivo en sus juicios literarios, casi siempre osados, tras de los cuales, si se los rebatían con fuerza o con desdén, acababa llorando a lágrima viva. Por aquel entonces estaba escribiendo una novelita corta, que jamás se publicó, y se llamaba *Lolita Acuña*; me leyó algunas cuartillas y advertí que la prosa tenía gracia de ritmo y de son, y hasta una rara elegancia modernista, y que el tema lo había pirateado de *Las diabólicas* de Barbey d'Aurevilly, que, por cierto, no había podido leer nunca en francés. Le recuerdo ahora, porque se me acercó en Fornos en cuanto me oyó hablar, y ya siguió haciéndolo, y con su gran frescura me presentó a muchos escritores de la época, ante los cuales tejía de mí un elogio férvido, y yo me lo llevé más de una vez a comer a mi casa de huéspedes, donde cayó muy simpático a Amalia y a Arsenio, por su aire pintoresco y su locuacidad. Fue mucho tiempo mi amigo, hasta muy poco antes de la guerra de liberación, y un día supe que se había casado con una mujer mayor que él en edad, pero no menor en pobreza, y otro día, de repente, dejé de verle, y al fin me dijeron que había muerto en pobreza y olvido" (*La rueda de mi fortuna*, pág. 299).

Madrid cómico (5, noviembre, 1910) se burla de Dorio de Gadex: "El señor Dorio de Gadex ha publicado un admirable libro titulado *Princesa de fábula* ...cien páginas... setenta de las cuales pertenecen a *El libro de mi amigo*, de Anatole France, ...las treinta restantes están fusiladas de Boccaccio, según propia confesión de Don Dorio... Don Dorio es uno de nuestros más ilustres contemporáneos. Goza de una popularidad parecida a la del gran Pichote, su padre espiritual. Posee un amplio gabán, regalo de Sassone, sobradamente holgado, y un monóculo, tras de cuyo cristal, contempla despectivamente a los demás mortales.

Don Dorio es el genio de la trapacería, de la mixtificación y del embeleco. Ahí tienen ustedes al librero Pueyo, el Cyrano del gremio de librería, a quien ha conseguido arruinar Dorio de Gadex. Él mismo me lo decía días pasados".

o se la jugó, o quién podría poner ahora orden entre la verdad y la leyenda, acrecentada en las charlas de café y en las memorias quebradizas. La vida de Pedro Luis de Gálvez llegó hasta la guerra civil del año 36, y aún desempeñó papeles importantes en ella, hasta morir trágicamente al finalizar la contienda. De Pedro Luis de Gálvez abundan las noticias. Pío Baroja (*Memorias, Galería de tipos de la época,* págs. 140-147) nos ha legado un excelente cuadro del escritor. También nos dan luz sobre este personaje contradictorio y excéntrico los recuerdos de Alberto Insúa (*Memorias,* I, pág. 546) y T. Álvarez Angulo (*Memorias de un hombre sin importancia,* pág. 359). José Montero Alonso (*Pedro Muñoz Seca. Vida, ingenio y asesinato de un comediógrafo español,* Madrid, 1939, pág. 183 y siguientes) evoca asimismo detalles del famoso sonetista.

Se han reconocido algunos otros de los poetas citados en *Luces de bohemia,* sin dato alguno concreto por parte de Valle Inclán que pueda autorizarlo. Son, sin más, los "epígonos del Parnaso modernista". Detrás de los nombres de esa agrupación que alborota en las redacciones y en las churrerías de la noche madrileña (Rafael de los Vélez, Lucio Vero, Mínguez, Clarinito, Pérez) se esconderán voces acalladas ya por los giros de la sensibilidad y por la muerte (real o en vida), estarán, sin necesidad de real adscripción, los poetas secundarios que aparecen con más o menos regularidad en los periódicos del tiempo (*ABC, Blanco y negro, España, El Imparcial,* etc.): Goy de Silva, Antonio Andión, Rafael Lasso de la Vega, Juan José Llovet, Camino Nessi, González Olmedilla, Moreno de Tejada, Cristóbal y Miguel de Castro, etc. Quizá Emilio Carrere, Pedro de Répide. Toda una flotante teoría de gentes con preocupaciones económicas, vocación de versificador y paisaje noctámbulo. Figuras espectrales casi, que forman el poso aliquebrado de los vencidos. Desfile carnavalesco, "pipas, chalinas, melenas", la cáscara rugosa de una fugaz fruta, poesía [8].

Todos los críticos de Valle Inclán han estado de acuerdo en que Max Estrella es la contrafigura de Alejandro Sawa, el escritor muerto, ciego y loco, en 1909. Luis Sánchez Granjel ha trazado recientemente una semblanza acertada del escritor olvidado [9], citado frecuentemente en las memorias de Baroja, y presente en tantos testimonios de los contemporáneos. De todos los datos que de él tenemos sobrenadan los referentes a su aspecto personal, su imponente barba, su porte de señorío, su conversación arrolladora y deslumbrante, que no supo trasladar a flor de página. Aparte de los críticos de la época (Luis París, Prudencio Iglesias Hermida, González Blanco, L. Bonafoux, Cansinos Assens, etcétera) nos han dejado semblanzas del andaluz hiperbólico, "poeta de odas y madrigales", personalidades tan varias como Pío Baroja, Rubén Darío, Ruiz Contreras, Eduardo Zamacois. De entre todas destaca el breve epitafio de Manuel Machado:

> Jamás hombre más nacido
> para el placer fue al dolor
> más derecho.
> Jamás ninguno ha caído
> con facha de vencedor
> tan deshecho.
> Y es que él se daba a perder
> como muchos a ganar.

[8] Valle Inclán ya había recurrido con anterioridad a poner nombres y personajes conocidos en la trama de su prosa. Así ocurre en *La cara de Dios,* la novela basada en la obrilla de igual título de Carlos Arniches. Allí nos encontramos con un Baroja, un Bargiela, una "señorita" Cornuty, un Antonio Palomero. (Véase D. GARCÍA SABELL, *El gesto único de Don Ramón,* en *Insula,* julio-agosto, 1966.)

[9] *Maestros y amigos del 98: Alejandro Sawa,* en *Cuadernos Hispanoamericanos,* n.º 195 (1966).

Y su vida
por la falta de querer
y sobra de regalar
fue perdida.
¿Es el morir y olvidar
mejor que amar y vivir,
y más mérito el dejar
que el conseguir?... [10].

Alejandro Sawa, otra sombra en loca carrera hacia el olvido. Lo que no pudo su esfuerzo, su anhelo de permanencia, lo ha conseguido esta alharaca nocherniega por los callejones del Madrid austriaco, por las delegaciones de policía, por las tabernas escondidas. Alejandro Sawa ya no es otra cosa que Máximo Estrella, ciego, atravesador de la madrugada madrileña camino de la muerte. Lo demás, sus horas de ilusión o de amargura, son simplemente un apoyo, también literario, también escurridiza filigrana entre la verdad y la fantasía. He aquí algunos testimonios del paso de Alejandro Sawa por la vida literaria madrileña: "Lo que Ganivet ha sido para la generación del 98, lo ha sido Alejandro Sawa para la del 900. Ya no se piensa en Taine ni en Montaigne, sino en Verlaine y en Mallarmé" (CANSINOS ASSENS, *La novísima literatura*, en *La nueva literatura*, II, página 276). "Yo no olvidaré nunca, por muchos que sean los años de mi vida, las escenas de dolor que presencié en esta tragedia de la vida actual de Alejandro Sawa. Y no olvidaré tampoco la crueldad de esta tierra mía para con este español consagrado gráficamente en el extranjero, y a quien mi patria condena a morir de hambre. Es decir, mi patria, no; mi patria no es la culpable. Son esos hombres que, no contentos con haber despedazado a España, quieren

10 MANUEL MACHADO, *Poesía*, Madrid, 1942, pág. 294.

arrojar sobre ella más oprobio: esos hombres que no saben todavía cómo se enrojece de vergüenza, pero que saben muy bien cuál es el color de la envidia" (P. IGLESIAS HERMIDA, *Alejandro Sawa*, en *De mi museo*, pág. 89). (Prudencio Iglesias Hermida dedicó a Alejandro Sawa su libro *La España trágica*). "Yo sé de algunos bohemios que merecían llegar, pasar del purgatorio de la miseria a la gloria de una casa confortable, y a los que vi tendidos, sobre el suelo, en el ataúd más humilde de la funeraria. No se me borrará nunca de la memoria la agonía y muerte de aquel noble escritor que se vanagloriaba de haber recibido un beso de Víctor Hugo en la frente, que escribía una prosa admirable y a quien enterramos cuatro o cinco camaradas 'a escote'" (A. INSÚA, *Memorias*, I, pág. 547).

Sawa-Estrella aparece en *Luces de bohemia* acompañado de su mujer y de su hija. La mujer, Jeanne Poirier, una francesa "santa del Cielo, que escribe el español con una ortografía del Infierno", está trasmutada en Madame Collet. La hija, de la que, como era de esperar, no poseemos dato alguno literario, figura que ni siquiera alcanza perfiles concretos, los cobra auténtica y dolorosamente, voz y bulto, al leer la carta que la viuda de Sawa dirige a Rubén Darío con motivo de una petición de auxilio (4 de enero de 1916): "¿Qué puedo decirle? Lo vulgar, darle las gracias por mi hija y por mí" [11]. Ahí aparece real y verdaderamente la muchachita de *Luces de bohemia*. La historia, esta vez sin degradar, sino sirviendo de fondo a la miseria circundante, surge abrumadora en las primeras líneas del libro.

---

[11] La carta puede leerse íntegra en DICTINO ÁLVAREZ HERNÁNDEZ, S. J., *Cartas de Rubén Darío (Epistolario inédito del poeta con sus amigos españoles)*, Madrid, Taurus, 1963, pág. 72.

MAX. Vuelve a leerme...
M. COLLET. Ten paciencia, Max.
MAX. Pudo esperar a que me enterrasen.
M. COLLET. Le toca ir delante.
MAX. Mal vamos a vernos sin esas cuatro crónicas. ¿Dónde gano yo veinte duros, Collet?
M. COLLET. Otra puerta se abrirá... (E. I).

Aparentemente, en la carrera de juicios sobre la constante deformación del libro, esto sería una contrafigura más. Sin embargo, la entrada inaugural de *Luces* es descarnadamente realista, fotográfica casi. Asistimos a un diálogo entre un matrimonio al que le acaba de llegar, en su pobreza arrastrada, la noticia de la pobreza rotunda, sin riberas. Es desnuda y escueta enunciación de algo que real y positivamente acaeció. Lo revela una carta de Ramón del Valle Inclán a Rubén Darío, comunicándole la muerte de Alejandro Sawa:

> El fracaso de todos sus intentos por publicarlo [se refiere al último libro de Sawa, *Iluminaciones en la sombra,* que apareció póstumo, en 1910] y una carta donde le retiraban una colaboración de sesenta pesetas que tenía *El Liberal,* le volvieron loco los últimos días. Una locura desesperada. Quería matarse [12].

¿Qué deformación podemos encontrar ahora en el proyecto de Max Estrella?: "¿Y si Claudinita estuviese conforme con mi proyecto de suicidio colectivo?". "Con cuatro perras de carbón podíamos hacer el viaje eterno" (E. I).

---

12 DICTINO ÁLVAREZ, *ob. cit.*, pág. 70.

El escueto *Quería matarse*, de la carta de Valle Inclán, se agiganta, se reitera en el "regenerarnos en un vuelo", frase con que Max invita a su lazarillo a tirarse por el Viaducto de la calle de Segovia. No, no se trata de una frasecilla. Y si pensamos en la admirable arquitectura del libro, que se cierra, precisamente, con el posible suicidio de las dos mujeres por el tufo ("Con cuatro perras de carbón") de un brasero, vemos que la tan cacareada deformación ha consistido casi estrictamente en seguir paso a paso una realidad entumecida, poblada de amarguras. La desaparición de las dos mujeres, sea cual fuere su interpretación literaria, acontece de verdad, inexcusable desenlace, una vez extinguida la ilusión, la fantasía caudalosa del poeta hiperbólico, que no deja detrás más que una pena en creciente, soledad sin orillas.

Vamos, pues, reconociendo a gentes que tuvieron su hueco sobre esta tierra de Dios, disimuladas, insinuadas para unos cuantos, familiares a unos pocos. Exactamente como puede ocurrir con los espectadores o lectores de las parodias. La vida se desliza, ahí, al margen de lo cotidiano, pero sin perder el contacto con ello nunca. Una mutua vigilancia celosa, que nos lleva de vaivén en vaivén, entre la vigilia y el sueño. Podríamos, aun a riesgo de alejarnos algo del orden previo (digamos que el orden en *Luces de bohemia* es el desorden, una inspiración quebrada, a borbotones), reconocer muchos detalles más, hechos simplemente por el placer de develar la realidad ante nuestros gestos cómplices. Así ocurre por ejemplo con Bradomín-Valle Inclán. Se trata de una de las pocas ocasiones en que la identidad entre el famoso Marqués y su creador es muy manifiesta, irreprochablemente manifiesta. Es en la Escena XIV, en el prolongado diálogo entre Bradomín y Rubén Darío. El Marqués anuncia que va a buscar quien quiera comprarle el manuscrito de sus memorias. (Y que no alude a las *Sonatas* es muy claro, en contra de lo que se ha querido deducir, sino que piensa en un nuevo elemento de literatización; alude a unas "memorias", es decir, *Memorias totales,* no sólo a las fragmentarias y sentimentales que son las *Sonatas:* se trata de un esguince disimulador, paródico ya, para entendernos. Lo demuestra que haya añadido en el libro lo que no figura en la redacción primera: "Mis Memorias se publicarán después de mi muerte. Voy a venderlas como si vendiese el esqueleto".) Pues bien, la razón que el Marqués da para autorizar la venta de sus memorias está en que se encuentra arruinado: "Necesito dinero. Estoy completamente arruinado desde que tuve la mala idea de recogerme a mi Pazo de Bradomín. ¡No me han arruinado las mujeres, con haberlas amado tanto, y me arruina la agricultura!". Detrás de estas frasecillas, aparentemente inocentes, se oculta otra verdad, sólo reconocible para algunos: ahí se agazapa la aventura labrantina de Valle Inclán, quien, allá por los años primeros de la primera guerra mundial, se refugió en La Merced, finca cercana a La Puebla del Caramiñal, en un arranque de señor rural. Allí nacieron varios de sus hijos. La aventura, naturalmente, no resultó tan lucida como su héroe pretendía [13].

El libro se nos va deshaciendo entre las manos en una cadena prolongada de súbitos deslumbramientos y de confusos, estremecedores perfiles en sombra. Siempre incompletos, siempre al pasar. Que cuando los hayamos establecido en un hueco de nuestra memoria tengamos que detenernos, no seguir, dejarnos acorralar por la duda y, cautelosamente, empezar una nueva pirueta mental. Pero esas

---

[13] MELCHOR FERNÁNDEZ ALMAGRO, *Vida y literatura de Valle Inclán,* 2.ª edic., pág. 164.

ráfagas llenan *Luces de bohemia.* Este es el caso preciso de Don Latino de Hispalis. Imposible darle el otro nombre, el del documento jurídico, la partida de bautismo, fe de vida que nos tranquilice. Se ha pensado en muchas personas, con ingenua terquedad detectivesca. Se ha propuesto incluso que se trata de un disfraz de Diego San José [14] lo que me parece fuera de toda posibilidad. Las pinceladas de ocultismo que Don Latino suelta de cuando en cuando desvían la atención hacia diversos personajes que, por esos años, practicaban, en ocasiones fervorosamente, el espiritismo: Emilio Carrere, Rafael de Urbano, Mario Roso de Luna. Pero sin duda, eso es el reflejo de conversaciones, bromas-veras desenvueltas en el incansable pasear, en las tertulias, aquí y allá, ese pulso del tiempo que se deshace en palabrería, guasa viva, locuaz, irrefrenable, y a la que el mismo Valle no pudo escapar. Los críticos más sensatos se limitan a decir que es de dudosa identificación. ¿Qué más quería Valle Inclán? Pienso que no hay que buscar mucho. Yo quiero ver en Don Latino al propio Sawa. Es un desdoblamiento de la personalidad. Lo que Sawa habría hecho en el envés de su cara noble y avasalladora. El otro Sawa. El que, lejos de la sabiduría verlainiana, engaña a quien puede y vive del sablazo ocasional; el que es de Hispalis (Alejandro Sawa no nació en Málaga, como se creía, sino en Sevilla); el que vivió en París de la Editorial Garnier (como Zamacois ha recordado en sus memorias) — ¡prestigio bohemio del barrio *latino*!—; el hombre que andaba y andaba por las calles de Madrid con un perro, ese perro que Sawa empleaba para llamar la atención, que usaba seguramente no por afición canina, sino por elemental necesidad de lazarillo, y que Sawa literatizaba equiparán-

---

[14] G. TORRENTE BALLESTER, *Historia y actualidad en dos piezas de Valle Inclán, Ínsula,* julio-agosto, 1961.

dose a sí mismo con Alfonso Karr, el escritor francés a quien quería parecerse y quien también andaba siempre con un perro [15]. La pirueta del perro sobre el ataúd es quizá el último calor que acompaña la desdichada peripecia humana de Alejandro Sawa. Sí, en ese Don Latino, tambaleándose en los mostradores de las tabernas, intentando convidar sin pagar nunca, vemos la misma escena de taberna que Zamacois ha contado en sus memorias, excelente retrato de la incapacidad económica de Sawa [16]. Pero, si no fuera bastante este tenaz seguir las pistas que se nos presentan, nos queda una, un desliz quizá, verdaderamente iluminador. Es una variante de la primera redacción. Don Latino, en el libro, surge, por vez primera, con esos atributos que acabo de reseñar: "Entra un vejete asmático, quepis, anteojos, un perrillo y una cartera con revistas ilustradas. Es Don Latino de Hispalis". Pues la primera redacción, mucho más cercana a la experiencia personal, a la alerta en vilo de Ramón del Valle Inclán, dice: "Entra *un ciego* asmático, quepis..."

---

15 "Tenía un hermoso perro, como Alfonso Karr, a quien deseaba parecerse, y decía que no se lavaba la frente porque Víctor Hugo se la ungió con un beso" (LUIS RUIZ CONTRERAS, *Memorias de un desmemoriado*, Madrid, 1961, pág. 124). También recuerdan el perro EDUARDO ZAMACOIS, *Un hombre que se va*, pág. 168, y RUBÉN DARÍO, en el prólogo a *Iluminaciones en la sombra* ("Sawa, su perro y su pipa"). Aquí precisamente leemos el origen de la leyenda del beso que Víctor Hugo dio a Sawa, leyenda recordada por casi todos los que de él hablaron: "Entre lo legendario circulaba algo inventado por Bonafoux: que había hecho un viaje a París con el único objeto de conocer a Víctor Hugo; que el anciano emperador de la poesía le había dado un beso en la frente, y que desde entonces, Sawa no había vuelto a lavarse la cara... El buen Sawa tomó la cosa en serio, protestó. Luego Bonafoux confesó que ello había sido una de sus amargas bromas amistosas". Toda esta leyenda tragicómica, que sería conversación y chisme diarios en los cafés y tertulias, aparece apenas entrevista en *Luces de bohemia*, cuando Don Latino se refiere a su compañero: "¡Señor Inspector! ¡Tenga usted alguna consideración! ¡Se trata de una gloria nacional! ¡El Víctor Hugo de España!" (E. V).

16 *Un hombre que se va*, pág. 170.

¿No hay ahí uno de esos elementos que Valle ha eliminado después, en un difícil jugueteo por desorientarnos? Se nos aparece ahí más próxima a la verdad, la visión dolida del momento angustioso que dio lugar a todo el drama narrado. Cuando el hecho es aún y antes que nada la circunstancia personal, con prioridad relevante sobre la queja social, que llegará después, con los añadidos. Ese *ciego* es una evidente *Iluminación en la sombra.* A Don Latino ("mi perro", dice una vez Max Estrella, es decir, casi 'mi sombra', E. VIII) le cuadran redondamente unas delicadas palabras del Juan Ramón de *Eternidades* (hacia 1917):

> Yo no soy yo.
> Soy este
> que va a mi lado sin yo verlo;
> que, a veces, voy a ver
> y que, a veces, olvido.
> ....
> ....
> El que pasea por donde yo no estoy,
> el que quedará en pie cuando yo muera.

Ráfagas, ráfagas fugaces, cegadoras. ¿Qué otra cosa es el recuerdo del "Viva la bagatela", tan traído y llevado, proviniente de un artículo de Azorín, o del "tropel de ruiseñores", de Villaespesa, o del "fuego de virutas", parodia de una frase querida de Don Antonio Maura? (*Gedeón,* 12, junio, 1903, nos presenta en la portada una significativa caricatura. Don Antonio Maura habla con Gedeón, mientras a su espalda arden los periódicos. El pie dice escuetamente: "*Fogatas de virutas*"). Y tantas más. ¿Es que no bulle y rebulle la voz de la esquina con su rasgada, dolida actualidad en ese tumulto de la taberna, donde en pocas líneas se agolpan el caos económico de Portugal, consecuencia de la revolución —o de la postguerra— [17], el recuerdo de Castelar o de J. M. Camo [18], o la tan pintoresca cita de Jaime de Borbón [19], o la presencia escurridiza de la Cruz Roja? [20].

---

17 A Gorito, excelente tipo de chulapería barriobajera, le llama la Pisabien "El Rey de Portugal". Y se explica el mote así: "¡Consideren que me llama Rey de Portugal para significar que no valgo un chavo! Argumentos de esta golfa desde que fue a Lisboa y se ha enterado del valor de la moneda" (E. III). En el contexto del tiempo (aún han llegado a penetrar en mi memoria) son abundantísimos los chistes, caricaturas, referencias, etcétera, a la necesidad de contar las monedas portuguesas por miles, etc. Quizá no sea raro encontrar en alguna casa española algún nidillo olvidado, hecho con billetes de banco extranjeros, de los que, durante mucho tiempo, se regalaban a los clientes en bares, cafés, cervecerías... Detrás de todo esto anda enmarañada la gran crisis que subsiguió a la primera guerra mundial.

18 "¡Castelar era un idiota!"... "¡Castelar representa una gloria nacional de España!" (E. III). Era natural que la actitud revisionista del 98 se fijara en el político famoso. Como melodía de fondo para el texto de *Luces de bohemia,* veamos este apunte de *Gedeón* (4, mayo, 1898). "Castelar es, al decir de muchos, un estadista insigne, porque se equivocó. En cualquiera otra nación, los políticos que se equivocan con grave daño de los patrios intereses, se hunden como por escotillón en la vida privada y permanecen el resto de sus días entregados al cultivo de la literatura o al de la remolacha. Aquí sucede todo lo contrario. Castelar es un gran político porque tuvo una gran equivocación, y Romero Robledo es un político hábil porque se equivoca muy a menudo..." "Estoy atrozmente cansado de los grandes oradores, de esas tiples ligeras de la política, cuyo único mérito estriba en la agilidad de sus gargantas". En cuanto a J. M. Camo, véase lo recogido más adelante (págs. 86-88).

19 "La Pisa Bien: ¿Viaja usted de incógnito? ¿Por un casual, será usted Don Jaime? —El borracho: ¡Me has sacado por la fotografía!" (E. III). He aquí una chusca alusión a Don Jaime de Borbón y Parma, el Jaime III de los carlistas. Don Jaime era feliz viajando, y su movilidad era extraordinaria. Y, naturalmente, los viajes, —llevados o no a cabo— ponían en danza a la policía borbónica, siempre sujeta a los naturales recelos. Ironías sobre los frecuentes desplazamientos e inevitables incógnitos del príncipe se encuentran frecuentemente. En *Gedeón* (26, mayo, 1907), se lee un artículo donde, entre los inconvenientes del viajar, se incluye la posibilidad de que el viajero sea confundido con Don Jaime: "Ya lo ves. En cuanto haya cualquier persona aficionada al traqueteo, como tú, o que por casualidad te encuentre hoy en Sevilla y mañana en Valencia, piensa: "Ese señor es Don Jaime", y se va con el asunto al Gobernador civil." "¿Y

Sí, sería inagotable la presencia de este aliento, conversación deshilvanada al pasar, reflejo vívido de numerosas circunstancias de todos conocidas. Lo que ocurre es que, al ser extraídas esas noticias de su contexto cotidiano, adquieren otra resonancia, la de la audacia, la desmesura, el ridículo, la incongruencia. El recién recordado "Viva la bagatela", debió causar verdadero escándalo y pasar a lo coloquial en los medios literarios. Cansinos Assens lo ha recordado con ceñida precisión [21]. Otras veces, la mezcla de vida y literatura nos desentierra una realidad fantasmal, a

---

si llevas capa y sombrero flexible...?" etc. etc. El sombrero flexible debía ser atributo del ilustre viajero. El famoso trasformista italiano Fregoli, que gozó de gran éxito en los escenarios madrileños, dio su nombre a un sombrero de ese tipo, que por lo visto, llevaba siempre. Esto hace que los periódicos hablen del Príncipe Frégoli y del transformismo de Don Jaime, seguramente aludiendo al inocente e inútil "incógnito" de que se rodearía. (*Gedeón*, 2, agosto, 1908). Me atrevo a pensar que la generalización en el habla madrileña de la expresión "de incógnito", con el valor de "a mí no se me da nada, yo no sé nada de eso", está muy estrechamente emparentada con las descripciones periodísticas de los frecuentes viajes de Don Jaime. (Ver, sobre Fregoli, J. DELEITO PIÑUELA, *Origen y Apogeo del género chico*, págs. 251-255.) Más ironías sobre los viajes de Don Jaime se pueden ver en *Gedeón*, 1909, 3 de enero, y 1910, 20 de febrero.

20 "¡So pelma, yo te sigo a todas partes! ¡Enfermera honoraria de la Cruz Colorada!". Sería abrumador intentar reunir testimonios que reflejasen cómo el país entero estaba pendiente de lo que fue la gran preocupación de la Reina Victoria Eugenia de Battenberg: la Cruz Roja, y el adiestramiento femenino en las tareas hospitalarias de la Institución. En la frase de la Pisa bien se añadan confusamente la admiración, el recelo hacia una casta social inasequible, el ansia de novedad, y, como siempre, y en último término, el lenguaje del periódico y de la calle, entremezclados.

21 "La noche infausta en que Antonio Azorín, después de vagar por la muerta ciudad de Toledo, acosado por fantasmas, sintiendo más viva que nunca su incapacidad para adaptarse al medio y cumplir un eficaz y sencillo destino relativo, penetra en un café solitario y pide una copa de aguardiente, exclamando "¡Viva la bagatela!", la obra del conocimiento queda destruida y es dicha la más viva sátira contra las ideas" (*La nueva literatura*, I, pág. 104. Otros recuerdos de la frasecilla, en el mismo lugar, pág. 66). Véase también G. FLYNN, *The bagatela of R. del V. I.*, en *Hispanic Review*, XXXII, 1964.

la que no nos atrevemos a poner barreras. ¿Queremos un ejemplo? Rubén Darío, en el café, haciendo un esfuercillo por distinguir eses y cedas —¿no lo haría el propio Valle, ceceoso?—, escucha a un joven admirador, que recita el final de un poema rubeniano, *Peregrinaciones*[22]. ¿No habrá habido, en realidad de verdad, una noche de café y tertulia madrileños, noche fría y alta, en la que Valle Inclán ha oído a un anónimo admirador esta conversación con Rubén, con estas tristes indirectas sobre Francisco Villaespesa, etc.?[23].

¿Es que no es de todos los días el anuncio del "caballero formal" que ofrecía su protección —disimulada o no— a alguna mujer? A eso alude la Pisabien: "Usted se ajunta con mi mamá y conmigo, para ser el caballero formal que se anuncia en *La Corres*. Precisamente se cansó de dar la pelma un huésped que teníamos y dejó una alcoba, para usted la propia" (Escena última)[24]. ¿Es que no asistía la Infanta Isabel de Borbón, *la Chata*, como cariñosamente la

---

22 Algunas aclaraciones sobre este aspecto señaló ALLEN W. PHILLIPS, *Sobre la génesis de Luces de bohemia*, en *Insula*, julio-agosto, 1966.

23 Una amarga ironía se desprende de la broma sobre las actividades del poeta. El joven admirador expone: "Yo los he leído manuscritos. Iban a ser publicados en una revista que murió antes de nacer. —MAX: ¿Sería una revista de Paco Villaespesa? —EL JOVEN: Yo he sido su secretario. —DON LATINO: Un gran puesto" (E. IX).

24 He aquí algunos ejemplos de esos anuncios, todos de *El Liberal*: "Señor agradable desea protección de una señora. Lista de Correos, cédula 15.974" (3, enero, 1909). "Caballero formal y discreto desea amistad y protección de señora. Desengaño, 3" (5, enero, 1909). "Joven formal, americano, protegería señorita distinguida" (7, febrero, 1909). "Daré protección a dos señoritas huérfanas y honradas" (23, febrero, 1909). Los anuncios añaden algunos datos más, necesarios para entrar en contacto. Que los tales anuncios provocaban el natural regocijo nos lo demuestra su lucimiento en *El gorro frigio*. Allí, con mucha gracia, una señora y su hija acuden para poner un anuncio de ritual, ofreciendo "habitación a caballero solo". La señora es, naturalmente, viuda, sólo que "muy viuda: de tres maridos". La hija aparece desprovista de toda facultad pensante.

llamaba el pueblo madrileño, a infinidad de actos? Un acorde de realidad cercana, por la situación y el tono se desprende de las palabras de El Pollo (E. última), al oir la lista de personalidades asistentes al entierro de Max Estrella: "Por mí, ya puede usted contar que estuvo la Infanta". Para un joven lector de hoy, el recuerdo de la ex-Princesa de Asturias, fugaz Condesa de Girgenti, no dice absolutamente nada. Para un madrileño de esos años, no había *otra infanta.* Tampoco tiene ya sentido inmediato llamar *Buey Apis* a un personaje tras del que adivinamos confusamente un alto nombre del periodismo y de la política. Y sin embargo, en el mote se reaviva, quién podrá saber ya hasta qué profundidades, el recuerdo de *Pequeñeces,* la novela del Padre Coloma, donde se llama así al Ministro de la Gobernación. La novela del Padre Coloma fue, evidentemente, muy popular entre medios no valleinclanescos; el Padre Coloma, fue académico entre 1907 y 1915; el Padre Coloma, no es difícil afirmarlo, no debió contar con la simpatía personal ni literaria de Valle Inclán... ¿No se asoma por ahí el regusto de mil conversaciones irónicas, tumultuosas, sobre la producción del novelista "oficial"?

Recuerdo ahora tan sólo aquellas alusiones que aparecen como una música de fondo, sin desempeñar un papel personificador, como lo hacen otras muchas de las que más tarde me ocuparé. Como en una de las parodias corrientes, a las que el público español estaba tan acostumbrado, desfilan delante de nosotros hechos, caras, sucesos, conversaciones, y, aparentemente, con el mismo afán de burla que las parodias conllevan. Pero, insistamos, aparentemente. Una cenefa de sombra nos avisa de que no todo es broma allí, de que algo está pasando. Ya veremos qué.

REGRESEMOS A LAS PARODIAS

Pero volvamos a lo paródico. Quiero antes de nada curarme en salud. No pretendo llegar a la conclusión, por mucho que me ayuden los parecidos y las coincidencias, de que en esas obrillas del género chico claudicante encontrase Valle Inclán la raíz —la fuente, según la vieja crítica— de su quehacer esperpéntico. Pero sí quiero señalar la presencia de un arte secundario (pero arte, materia cotizable y viva) en los años de su formación y de su segunda juventud, que, forzosamente, ha de haberle dejado huellas, hábitos, siquiera el acostumbrar su habla y su mirada, y su contorno, a los gestos y expresiones, e incluso al ángulo visual que tales obrillas producían. Es un ademán del tiempo, al que es inútil intentar sustraerse. En un hombre como Valle Inclán, tan dado a la visión libresca del mundo, ¿no sería posible acabar por encontrarle esa vena en su faena esperpéntica? ¿No era ya una parodia sangrante de la vida modernista la ruin realidad de la vida de esos poetas y escritores, siempre luchando con la pobreza, con las colaboraciones no aceptadas o mal pagadas? Sí, tan a la mano como los espejos de la Calle del Gato estaba la atmósfera teatral, en la que Valle estaba siempre metido, ya actor, ya autor, atmósfera saturada de obras como *La golfemia,* cuyo éxito en Madrid ya he señalado atrás. Y como tantas otras que aún nos van a ayudar.

Mirando la estructura, los recursos de que se valen las parodias, nos tropezamos con nuevas sorpresas, nuevos puntos de contacto. Se ha destacado la insistencia, significativa insistencia, con que Valle Inclán recurre a los muñecos para retratar a sus personajes. Es un gesto repentinamente despoblado, hueco, que trueca la humanidad en desprevenido hielo, en desmayo acartonado [1]. *Muñecos, fantoches, peleles, guiñol,* etc., son palabras expresivas de estas situaciones súbitas, alocadas, detenidas en un gesto sobresaltado, película accidentalmente detenida. Un aire total de marionetas lanza a estos personajes sobre el tablado. Una de las expresiones más representativas y acertadas del sistema estético esperpéntico es la de comparar a los personajes, en los momentos decisivos, con un pelele. *Peleles* abundan en *Tirano Banderas,* en *El ruedo ibérico.* Nada más eficaz para dar precisa visión de la vida huidiza, de las muecas vacías, laxas, sin vigor interior, vidas acosadas por la brutalidad de un azar cualquiera. *Luces de bohemia* tiene un buen repertorio de fantoches y peleles: "Don Latino guiña el ojo, tuerce la jeta y desmaya los brazos haciendo el pelele" (E. última). Sin cita expresa, vemos la muñequería en el arrebato de Claudinita: "Claudinita con un grito estridente tuerce los ojos y comienza a batir la cabeza contra el suelo" (E. XIII). Un pelele plantado a la puerta es la aparición del cochero de la carroza fúnebre que ha de llevar al cementerio el cadáver de Max Estrella: "Narices de borracho, chisterón viejo con escarapela, casaca de un luto raído, peluca de estopa y canillejas negras" (E. XIII). Los acompañantes del duelo, "arrimados a la pared, son tres fúnebres fantoches en

---

[1] E. S. SPERATTI, *ob. cit.,* págs. 97 y sigs.

hilera" (E. XIII). Estamos a un paso de los escalofriantes carnavales de Solana o de Ensor. Un pelele total, frío y descoyuntado, es Máximo Estrella al ser encontrado muerto en el portal de su casa, amanecer arriba: "El cuerpo del bohemio resbala y queda acostado sobre el umbral, al abrirse la puerta" (E. XII). También es un mísero pelele el niño muerto por las balas policíacas, muñeco informe en los brazos de su madre. Pelele, en fin, es siempre Max Estrella, ciego, deteniéndose campanudo y rodeado de repentino silencio, antes de llegarse a algún sitio, al entrar, al empezar a hablar, obligado a un torpe gesto por la ceguera.

Pero observemos una de estas citas. Don Latino, en ese momento vacío que acabo de recordar, no mueve los brazos como un pelele, sino *haciendo el pelele*. Es decir, los mueve bajo un consejo de dirección escénica. Como se hace el pelele en algún sitio u ocasión en que tenga que hacerse el papel de pelele. Y esto nos conduce de nuevo a las parodias. La voz *pelele* no ha tenido mucho uso literario. Aparece ya en Moratín, con el valor de 'muñeco de trapos y paja que se apedrea en los carnavales'. Así vive aún en algunas comarcas laterales (Extremadura, por ejemplo). Es muy fácil el paso a 'hombre de paja, simple', con que se va usando a lo largo del siglo XIX (Rivas, Galdós, Bretón), con fronteras no muy precisas. Es en el cruce de los dos siglos cuando la voz se pone en circulación tumultuosa: Pardo Bazán, Ricardo de la Vega, Pereda, Selgas, Manuel Machado, Unamuno, Blasco Ibáñez... Encontrarla en *El santo de la Isidra*, en los sainetes de Javier de Burgos, en López Silva, en Ricardo de la Vega es ya lo obligado. Entre *Ángel Guerra*, 1890, y *El resplandor de la hoguera*, 1909, la palabra debió circular mucho. Todavía sale en *Troteras y danzaderas*, libro que tantas relaciones íntimas tiene con *Luces de bohemia*. La frecuencia de esta voz, moviéndose en un espacio humano en el que todos están de acuerdo sobre su empleo, me obliga a pensar que hay algún motivo que ha colaborado a su propagación. Y el motivo lo encuentro en las parodias, en el uso de peleles como recurso escénico socorridísimo. Veamos algunos ejemplos.

Estamos en 1897. Teatro Eslava, de Madrid, a 15 de febrero. Noche con el frío madrileño, que haría más atrayente la buñolería (esa buñolería modernista, de donde se desfleca el coro de poetas hampones, la buñolería recordada por Gómez de la Serna, con sus vahos de aceite y de aguardiente y de recuelo, su cuchillada de luz en la sombra de la amanecida)[2]. Se estrena *¡Simón es un lila!*, parodia de la famosa ópera de Saint Saëns, *Sansón y Dalila,* que ha logrado pleno triunfo en el Teatro Real. La parodia tiene letra de Enrique López Marín y música del maestro Arnedo. En la escena segunda del primer cuadro, se supone que Simón (el reflejo de Sansón) ataca a un joven, Embeleco: "Simón se abalanza sobre Embeleco, que sale huyendo por el foro izquierdo, donde le trinca casi a la vista del público, si bien coge un pelele —exacta contrafigura de Embeleco— de manera que parezca realmente ser el auténtico alcanzado por Simón. Éste saca al pelele arrastrando, cogido por el cuello, hasta el centro de la escena, sin acercarse al proscenio. Loco de ira, lo descuartiza en seis pedazos, tirando cada

---

2 La buñolería de Eslava, famoso punto de cita y de reunión, fue recordada con frecuencia. "En el cafetín que hay en sus adentros hemos pasado muchas veces las últimas horas de la madrugada y hemos recibido junto a los buñuelos —pompas del alba— aguardiente en taza que nos despachaban por recomendación, y que más que por la autoridad, era disimulado para que no se diesen cuenta de que nos lo expendían los mangantes de las otras mesas" (GÓMEZ DE LA SERNA, *Nostalgias de Madrid,* pág. 26). El café está en los orígenes mismos del teatro superviviente. Es el que acabó de hacer famoso el cantable de *La Gran Vía* ("Te espero en Eslava tomando café"). (Véase J. DELEITO PIÑUELA, *Origen y apogeo del género chico,* pág. 447.)

uno por un lado, en tanto que "el otro" grita entre cajas, y los barberos retroceden y hacen aspavientos en presencia de aquel cuadro de horror. No hay para qué significar la semejanza que debe existir entre Embeleco y la contrafigura, porque en esto solamente estriba el "efecto" del crimen. Como se haga bien, el público se cuela. La experiencia lo ha demostrado". Este pelele volverá a salir en el segundo acto, sin vida alguna, verdadero fantoche apoyado en un tonel y coronado de pámpanos.

La cita ha sido un poco larga, pero ilustrativa. Nos dice transparentemente cómo ha de ser el comportamiento del pelele: abandonarse, quedarse sin hálito y mover los brazos sin otra fuerza que la gravedad. Retengamos, de paso, algo de este léxico: *trincar, colarse,* el tono general de descuido con que se habla. Y comprobemos en seguida que el pelele de *¡Simón es un lila!* no está solo. Salen peleles en *Guasín,* la parodia de *Garín,* de Bretón. Salvador María Granés presenta un excelente repertorio. En *La Fosca* se utilizan restos de un muñeco grande, que sacan, en trozos, de un banasto, y que representa a Camama en Dosis (Cavaradossi) después de haber sido apaleado por la policía. También salen muñecos, en este caso movidos por hilos, en *El balido del zulú.* En el mismo año 1897, se estrenó, asimismo en Eslava, *Los cocineros,* de E. García Álvarez y Antonio Paso, con música de Quinito Valverde y Torregrosa. El éxito de esta obrilla fue extraordinario y sus cantables llenaron los patios madrileños durante largo tiempo. Y también los peleles desempeñaban en ella una misión primordial. Un muñeco, parecidísimo a un personaje, plantea situaciones comprometidas y ridículamente amenas. Un número musical que debió entrarse por todas las puertas y ventanas madrileñas fue precisamente el dúo del pelele. Es decir, por todas partes, la presencia inevitable de cierto modo de moverse, de brazos caídos, exánimes, acosaba la conciencia colectiva, acostumbraba a designar cierto tipo de visajes y de movimientos. Como dije antes sobre *La golfemia,* no pretendo, en manera alguna, descubrir "la fuente", sino destacar la existencia de un clima común, de una filigrana vital que puede ser utilizada de muy diversas maneras por los contemporáneos. En realidad, se trata solamente de hacer ver cómo el aliento más profundo y dotado de Valle Inclán eleva las criaturas grotescas a una altura imprevisible dentro del tono menor de las comedias y de las parodias [3].

[3] El clima de sainete está reconocido, como una intuición de matices irrecusables, en muchos trabajos. Ya en MELCHOR FERNÁNDEZ ALMAGRO, *ob. cit.* También lo hace PEDRO LAÍN ENTRALGO, en su agudo libro *La generación del 98,* pág. 159. Aún podrían aducirse más testimonios, todos, repito, como una "vivencia" más. Solamente ahora comenzamos a ver tal rasgo con la lejanía necesaria. La presencia de lo paródico en las manifestaciones todas de la vida nacional (aunque muy especialmente en lo literario y político) es extraordinariamente atenazante. Lo encontramos por todas partes. Para dejar ya esta cuestión, cuyos últimos linderos es imposible prever, recogeré a continuación, en apretada lista, algunos de los copiosos ejemplos con que he tropezado al pasar. El *Tenorio* de Zorrilla es socorridísimo. Eugenio Noel pone un diálogo del drama en boca de Rafael *el Gallo* y un aristócrata (*Señoritos chulos...* página 97). *Madrid cómico* prodiga *tenorios amañados.* El 29 de octubre de 1910, Canalejas, de Don Juan, habla con las estatuas (Vázquez de Mella y el obispo de Jaca, famoso entonces por su intemperancia política). *Gedeón* es especialmente recurrente a las situaciones del drama (20, I, 1898; 1, XI, 1899, varios casos; 27, V, 1901; 6, XI, 1901; 19, XI, 1903; 31, X, 1909: Moret se dirige a la estatua de Maura: "Yo soy vuestro matador..."; 16, junio, 1912: "¿Está en casa el archivero? —Estáis hablando con él", etc.). Disperso aquí y allá, en proporciones que despiertan la sospecha de, dada la lejanía de las situaciones aludidas, pasar inadvertidamente por multitud de episodios paródicos, encuentro el uso de contrafiguras o arreglos de obras ajenas en casi todas las páginas del tiempo. Así, *Gedeón,* en 1898, nos coloca remedos de Iriarte, Echegaray, Hartzenbusch. El 28 de julio del mismo año, se publica una *Canción del pirata,* burla de los ministros, y unos *Gráficos de la Polaviejecita,* donde *La viejecita* sirve para reirse del General Polavieja. 15 de setiembre del mismo año: *Los diamantes de la corona,* nueva crítica de la situación ministerial. 27 de octubre: Acerada parodia política de *La comida de las*

fieras. 23, XI, 1898: Caricaturas que representan a España, las Cámaras de Comercio, el regionalismo, etc. Todo con letra de *El año pasado por agua.* 7, XII: *El político que rabió,* con evidentes citas de *El rey que rabió.* 14, XII: Se parodia el *Fuese y no hubo nada* del soneto cervantino. El sujeto es Romero Robledo. Detrás de él, pasan Cuba, Puerto Rico y Filipinas. 1899, 25 de enero: Una Walkyria política. 1 de marzo: *Entierro de Felipe el Hermoso,* de Muñoz Degrain, con figuras del partido liberal. Juana la Loca es Sagasta. 26, abril: Contrafiguras del *Tenorio,* de Moratín, de *La Celestina.* 7, junio, tercer centenario de Velázquez: numerosos cuadros se nos rehacen con las caras de los políticos y con alusiones directas a su comportamiento. 14, junio: Una *Marcha triunfal* que comienza: "Ya viene el pedrisco...". 12, julio: "Grillerías: El país, con grillos y sin ollas; el gobierno, una olla de grillos; la regeneración, una grilla; el poeta nacional, Antonio Fernández *Grillo*". 11, octubre: Silvela, Durán, Escartín, etc., nos representan *El alcalde de Zalamea.* 20, XII: Silvela habla imitando a Lady Macbeth. 1900, 14 de mayo: Es Cervantes el utilizado, con recuerdos del *Quijote* y del *Patio del Monopolio* (por el de cerillas). 1, abril: La Semana Santa nos exhibe al Gobierno con elementos de circunstancias: El Gran Fariseo (titulillo adjudicado en *Luces de bohemia* a Maura!!), Longinos, Pilato, el Sayón de la Bofetada, etc. 2 de mayo: *El Gabinete pasado por agua,* "parodia de El año pasado por el mismo líquido". 12, XII: Parodia de *Tosca.* Silvela asesina a don Marcelo Linares, reformista: "La muerte de don Marcelo Scarpia". 1901, 10 de julio: *Marina* sirve para poner sobre la mesa algún roce o cuestión gibraltareños. 25, IX: Los políticos más conocidos se perfilan a través de *La tarántula,* el famoso cantable de *La Tempranica.* 4, XII: El ministro de Hacienda, convertido en la *Dánae,* de Tiziano. 1902, 18 de junio: *La muerte de Lucrecia,* de Eduardo Rosales, Lucrecia es la libertad, y Canalejas tiene en su mano el cuchillo. 1903, 18, junio: Sánchez *Toca* versos de *Marina,* arreglados. 9, julio: Aparecen, remedados, versos de Bécquer. 1905, 26, enero: El ministro Azcárraga aparece leyendo el *Gotha,* con el nombre de *El joven Telémaco,* la aplaudida obra de E. Blasco. Y dice, como era de esperar (con variantes): Le gustan todas, / le gustan todas... Pero esa rubia, / pero esa rubia... Se trata de una indudable referencia a la búsqueda de novia para Alfonso XIII, ya quizá inclinado el monarca por Ena de Battenberg. 26, noviembre: Se lee un poema, *Los números de los legisladores,* parodia de *Los caballos de los conquistadores,* de Chocano. 1906, 3 de mayo: Moret pasa cavilaciones: "Segismundo está triste, qué tendrá Segismundo". 1909, 25, abril: Varios títulos de sainetes de Don Ricardo de la Vega son aplicados a altas manifestaciones de la vida política: *La canción de la Lola* (Cambó llevándose la camisa de la subvención), *La casa de los escándalos* (El Congreso), *La verbena de la Paloma* (Melquiades Álvarez, como Don Hilarión, entre la República y la Monarquía, Casta y Susana), entre otros. 1910, abril-mayo: Parodias de cuadros de Velázquez y Goya. (*La gallina ciega* = el equipo liberal). Sería inacabable la lista. Creo que aparece bien patente este estilo colectivo de utilizar irónicamente cuanto surge al alcance de la mano, con especial intención de sátira política.

LITERATIZACIÓN

Vamos a enfrentarnos ahora con el nexo más evidente entre toda la obra artística de Valle Inclán y una pueril, externa condición de ese arte menor y popular, arte de entrecasa, que es el género teatral en la encrucijada de los dos siglos. Si hay un rasgo vivo en el arte de Ramón del Valle Inclán, rasgo que pueda definírnoslo rápida y certeramente, es el culto a la literatización. Se trata de un hecho de claro abolengo modernista, expresado de mil modos. Conocemos cómo Valle Inclán ha buscado fuentes de inspiración en obras ajenas, en cuentos de no muy destacado valor, en los viejos cronistas, etc. En sus años jóvenes, como componente de una actitud estética, la vida toda estaba enajenada, apoyada en sostenes de valor artístico: siempre al acecho, entre los repliegues de la página, la magia de la cita literaria. Las *Sonatas* son excelente ejemplo de tal voluntad. Bradomín, "un don Juan", vive desde una "leyenda", y sueña con "extremos verterianos", anhelaría verse en "historias" y "cantigas", etc. Ovidio, Aretino, Petrarca, Petronio, Flaubert, Barbey d'Aurevilly, etc., se escurren, disimulada o paladinamente, por la urdimbre de las cuatro novelitas: son el fondo melódico a su fluir erótico. Y, sobre todo, Zorrilla y Espronceda. Incapaz de la desnuda expresión directa, el modernista ha de recurrir siempre a un modelo, a una muleta de prestigio. Pues bien, al acercarnos a *Luces de bohemia*, nos asalta por todas partes esta presencia de la "literatura", en citas, en recuerdos, en alusiones simuladas, en nombres concretos. Solamente para citar los más visibles (que, de seguro, hay muchas más pruebas, agazapadas arteramente), recordaré algunos.

Al entrar Max Estrella en la librería de Zaratustra, en aquella corte de un librero giboso, un gato y un perro enfurecidos y un loro que lanza gritos patrióticos, el poeta ciego saluda con una expresión calderoniana:

> ¡Mal Polonia recibe a un extranjero! (E. II).

Nuevamente surge Calderón cuando Max, en una charla con el coro modernista sobre la gloria y el acatamiento literarios, expone: "Para medrar, hay que ser agradador de todos los Segismundos" (E. IV). Idéntico papel desempeñan en la andadura total del libro otras citas ilustres. Dorio de Gadex saluda, dirigiéndose a Max, con el rubeniano "¡Padre y maestro mágico, salud!" (E. IV). Max, en la cárcel, dialogando con el obrero catalán, lanza un "Alea jacta est!" (E. VI). El redactor de un periódico, ante la conversación tumultuosa de los demás, cacarea: "¡Juventud, divino tesoro!" (E. VII). En otros casos, el texto ajeno queda incorporado a la conversación ("Esta noche te convido a cenar. ¡A cenar con el rubio champaña, Rubén!", E. IX), o se resbala por las grietas de las acotaciones escénicas ("Es el Rey de Portugal, que hace las bellaquerías con Enriqueta la Pisabien, Marquesa del Tango", E. III). Y muchas más, y las numerosas imágenes literarias que evocan los nombres, tan copiosos, los textos mutilados, etc. [1].

---

[1] La "corza herida", tan recordada, era motivo frecuente de F. Villaespesa. Una sola muestra: "...huyó mi alma con sus pies veloces / como una corza ensangrentada y blanca" (*El libro de Job*, 1909, *Obras*, I, pági-

Sí, se vive desde la literatura, pendientes del gesto, de la voz, de una erudición a veces superficial y limitada, pero siempre evocadora, irresistible torbellino que aleja a elegidas zonas de ensueño la próxima realidad marchita y claudicante. Pero notemos la grave diferencia radical entre unas y otras. Las citas literarias (o artísticas en general) de las *Sonatas* funcionan con *absoluta seriedad*. Dan dignidad a las situaciones, son semejantes a brillos ilustres, a piedras preciosas que, engarzadas en la prosa corriente, aquilatan la exquisitez del autor, de los personajes, del ambiente total de escenografía en que las novelitas se van desenvolviendo. Es decir, es natural casi que un personaje literatizado se vea dentro de Werther, le guste evocar a Espronceda o a Byron por la forma de su peinado o de su vestir, e, inevitablemente, pensar en la manquedad de Cervantes ante la propia manquedad. Incluso en las citas donde pudiera percibirse un deje irónico, existe una adecuación entre el texto empleado y la situación que lo acarrea. Hay una armonía artística, previa, preestablecida, canónica. En todos los ejemplos de *Luces de bohemia* domina, muy al contrario, la absoluta desproporción (la ceguera, diríamos, para mantener un acorde con Max Estrella). Y los textos se desmoronan en fría estridencia, de improviso despoblados. El conflicto mental entre lo realmente evocado por la cita y la realidad de la situación que la provoca es la raíz de toda expresividad cómica, paródica, que, al rellenarse de cierta amargura o desencanto, ya tendremos que llamar esperpéntica. Reconsideremos los ejemplos citados: "¡Mal Polonia recibe a un ex-

---

na 649). También es usual en este poeta "el peregrino", más o menos eterno (*Saudades, El Rey Galaor*, etc.). Se trata de uno de los recursos más en abuso por la poesía modernista. Del "peregrino" se acuerda Don Latino, escena última,

Para las huellas y los procedimientos de literatización véase A. ZAMORA VICENTE, *ob. cit.*, passim.

tranjero!" lo dice Max ante una cueva sucia, donde un coro de animales ridiculiza el sentimiento de patria, y donde va a ser ladinamente estafado. Nada hay que recuerde la circunstancia del drama calderoniano. Más hiriente resulta, sin duda, el saludo de Dorio de Gadex a Max: "¡Padre y maestro mágico, salud!". Basta, para comprenderlo, entornar los ojos y considerar que la frase, extraída de un responso (el extraordinario a Verlaine), se cierre con un *¡salud!*, dirigido al poeta ciego, hambriento, que va a morir dentro de unos instantes. La anticipación funeral que el verso ilustre envuelve hace que el entornamiento de ojos se resuelva en un escalofrío, en un apartarse amargo de la circunstancia. De ninguna manera cuaja frente a los "epígonos del parnaso modernista", deshechos en inútil alharaca, el "¡Juventud, divino tesoro!", con que el funcionario del periódico les ameniza la espera. No podremos encontrar momento más cargado de silencios auténticos, donde lo único que hacen los presentes es notar su vejez, sentirse fuera del hoy perentorio. Aún más ridículo es el testimonio del "rubio champaña" en boca del más que desvalido Max Estrella —que acaba de empeñar la capa, de ser estafado, que morirá de hambre y de frío—. En fin, cualquiera de las evocaciones literarias registradas participa de esta mueca atroz de desencanto, de amargura, de llamada obsesionante a la implacable aridez de la existencia cotidiana.

Pues bien, la literatización, elemental y chocarreramente considerada, era también recurso de la literatura paródica del género chico. También aquí encuentro un venero cuyos últimos borbotones nadie sabe qué sorpresas podrían depararnos. Lo cierto es que el clima en que nos estamos moviendo tolera el uso, con matices irónicos o cómicos, de lo ajeno. Ya la parodia en sí misma es una forma de literatización, pero se aguza más la sensación de irrespetuosidad al emplear como recurso cómico la cita ajena. En *¡Simón es un lila!*, la parodia de *Sansón y Dalila*, causaría regocijo contenido el escuchar, en un coro, el eco de la famosa frasecilla de *Rigoletto, La donna é fragile*, acomodada a la circunstancia del cantable. Pero ese regocijo sería ya irrestañable carcajada al oir la entrada de un coro con unos versos que anduvieron de boca en boca por su enorme popularidad zarzuelera:

Con una falda de percal planchá.

¡Qué alborozo entre los espectadores! ¡Qué bulla, risa va, risa viene, mientras la cantante lucha por hacerse oir! Se trata del chotis de *Cuadros disolventes*, letra de Perrín y Palacios y música del maestro Nieto, estrenada en el Príncipe Alfonso el 3 de julio de 1896. El cantable se propagó extraordinariamente, y todavía hoy anda con gran facilidad en la memoria de las gentes, aunque casi nadie conozca exactamente su origen. Fue utilizado multitud de veces. Arniches lo saca a relucir en *El santo de la Isidra*. Pero, ¿no es el mismo sistema de absoluta degradación caricaturesca hacer que el coro de la ópera descienda a esta imagen callejera, verbenera, tan irrespetuosamente desceñida? Si lo comparamos con los casos citados de *Luces de bohemia*, notamos una mayor agudeza —naturalísima por otra parte en Valle Inclán—, pero la base del procedimiento es la misma. La entrada de las coristas con este aluvión de barrio bajo es análoga (aunque sea distinto el signo de la orientación) a la salutación rubeniana de Dorio de Gadex, o al "*¡Juventud, divino tesoro!*" señalado atrás. La calidad de la cita es lo que varía, apoyada en el conceptismo interior de cada uno de los escritores, Valle Inclán y López Marín. Pero la orientación humana y la trayectoria burlesca son las mismas.

El empleo de trozos familiares al público, originarios de diversos lugares, es uno de los recursos más empleados en toda esta literatura de burla, de contradanza guiñolesca. En *La Fosca* se canta un *Le gustan todas en general*. Es natural que lo más aprovechado en esta literatura fuesen los cantables, el fragmento más popularizado, los cuatro, seis, ocho compases escasos que, de inmediato, provocaban, por su familiaridad, el descarnado contraste burlón, la repentina sorpresa de lo inesperado. Llevaban asegurado el éxito. *Marina* sale en varias de estas obrejas. *La Golfemia* brinda, en torno a retazos de Puccini, los famosos de la ópera de Arrieta: *A beber, a beber y apurar...*, etc. (Muy bien intercalados, eso sí, entre los propios de la parodia.) El mismo popularísimo fragmento se canta en *Guasín*, la parodia de *Garín*, de Bretón, aparición compartida (aprovechando una tempestad) con fragmentos de *El año pasado por agua*. *Marina* vuelve a salir en *¿Cytrato? ¡De ver será!*, parodia de *Cyrano de Bergerac*, original de Gabriel Merino y Celso Lucio, con música de Valverde (hijo) y Caballero, estrenada en el teatro de la Zarzuela (24 de marzo de 1889): "Dichoso aquel que tiene su casa a flote...". Trozos ajenos, familiares en la recogida erudición del género vuelven a oirse en *La balada de la luz*, en *Churro Bragas*, etc. Una sonrisa cómplice responde a tan elemental artilugio, copiosamente empleado. Y, estoy seguro, habrá multitud de trozos de partituras olvidadas, situaciones caducas, alusiones, etc. que ya el tiempo se ha encargado de relegar al olvido [2]. Solamente añadiré, como

[2] La circulación de algunos cantables debía ser abrumadora. Algunos ejemplos nos lo demuestran. La canción de *La tarántula*, de *La tempranica*, aparece reproducida en escritores tan distintos como EUGENIO NOEL (*Señoritos chulos... La tarántula*) y PÍO BAROJA (*Mala hierba, Obras*, I, página 497). Que el aire traía y llevaba de un lado para otro estas músicas, lo revela la anécdota, muy ilustrativa, de un sevillano que, después de permanecer tres días en un tejado, aislado por una avenida del Guadalquivir,

testigo de la enorme vitalidad de este procedimiento, cómo aún lo podemos encontrar en fechas muy avanzadas. Tan a flor de piel estaba, que Enrique Jardiel Poncela no duda en emplearlo, ya en 1933, en *Angelina o un drama en 1880*. En la escena más patética de la comedia, oímos a un personaje decir apasionadamente: "¡Marcial, eres el más grande! Se ve que eres madrileño", frases extraídas de un popularísimo pasodoble dedicado al torero Marcial Lalanda. Reiteración de una misión idéntica a la del chotis de *Cuadros disolventes* (o de cantables de otros días) en *La Golfemia*.

Pero aún podemos afinar más esta base común, base que no vacilo en apoyar en la irresponsabilidad colectiva de la España adormilada, allá, en el cruce de los dos siglos. Se me dirá que las citas, los entramados de Valle Inclán tienen una calidad mucho más elevada que la de su recuerdo zarzuelero. Es verdad. Sin embargo, yo creo que basta, para explicarlo, recordar la diferente condición de cada uno de los escritores. López Marín o Salvador M. Granés no pretenden más que *pasar el rato*, poner un acorde de buen humor circunstancial a lo que, indudablemente, les hace sombra profesional. *Rigoletto* o *Los claveles* suponen mucho más en la historia de sus géneros respectivos que todas las parodias o que todas las producciones *serias* de los propios parodiantes. Por otra parte, López Marín y Salvador M. Granés saben que sus obras no son más que eso: admirado pasatiempo de un día, portentoso homenaje a la caducidad, detrás de una

---

recibió a los bomberos que venían a salvarle con los mismos compases de *Marina* recogidos arriba: "Dichoso aquel que tiene / su casa a flote" (J. MONTERO ALONSO, *Pedro Muñoz Seca*, pág. 120). Entre los rasgos del madrileño, RAMÓN GÓMEZ DE LA SERNA encontraba éste: "... es ir en la plataforma de un tranvía y que al mirar a un señor raro, éste no se ofenda por la mirada fija, sino que canturree: ¡Caballero de Gracia me llaman!" (*Nostalgias de Madrid*, pág. 18).

pelea de taquilla. Valle Inclán es, afortunadamente para nosotros, algo más. Digamos que, como todo escritor de cepa, lleva dentro una auténtica vocación de permanencia. De ahí que sea una ligereza grave pensar que el esperpento sea hueco y sin vida. Creo que es precisamente vida lo que le sobra, vida que sobrepasa los límites de *esta vida* en que solemos movernos.

Pero, decía, aún podemos afinar más, desde el lado puramente literario, la base paródica que señalo en el género chico. Volvamos de nuevo a *¡Simón es un lila!* No, no es todo concesión a lo populachero. También hay citas de mucha mayor dignidad literaria y, por cierto, muy cercanas a las lecturas reales de Valle Inclán. *Don Juan Tenorio* sale enredado en los versos de la parodia (y seguramente alguna otra obra que gozase de renombre: habría que ensanchar amplia y cautelosamente el horizonte de lecturas y reconocimientos). La Hostería del Laurel se ha convertido en un llamativo *¡Al templo de Baco!*, en el que nos vamos a tropezar con algo muy familiar. En la escena octava del acto primero (primera parte) de la obra de J. Zorrilla, al llegar Don Diego a la hostería, pregunta:

—¿Está en casa el hostelero?

y contesta Butarelli:

—¡Estáis hablando con él!

Esta última contestación se repite en *¡Simón es un lila!*:

ZUMO. Mas, ¿quién será el asesino?
SIMÓN. *¡Estáis hablando con él!*

Podría tratarse de una casualidad. Pero López Marín ha hecho imprimir el verso en cursiva, lo que revela que tiene conciencia de estar empleando algo ajeno. Sin embargo, para disipar toda duda sobre el uso de una cita ajena, versos más abajo nos encontramos con otros, sobre los que el autor llama la atención también. Copiemos el fragmento por entero. Ocurre la escena después de haber sido descuartizado el pelele a que aludí líneas atrás:

PALUSTRE. ¡Pobre muchacho!
ZUMO. Murió, ya lo veis, ¡descuartizado!
PALUSTRE. ¿Si se habrá suicidado?
ZUMO. Hombre, yo creo que no.
¡Esto es un crimen cruel!
¡Y una venganza, adivino!
Mas, ¿quién será el asesino?
SIMÓN. ¡Estáis hablando con él!
ZUMO. ¿Tú?
SIMÓN. ¡Yo, sí! ¿Por qué te alteras?
ZUMO. Es que...
SIMÓN. ¿Vas a reprenderme,
cuando hombre soy para hacerme
platos de las calaveras?

Y aquí sí que ya no cabe duda alguna. No hay manera de esquivar la presencia de Zorrilla, puntual en los teatros, noviembre creciendo, reconocida admiración en todos los públicos. Es el mismo don Juan quien dirá en una situación ya macabra (segunda parte, escena sexta):

¿Duda en mi valor ponerme
cuando hombre soy para hacerme
platos de sus calaveras?

Expresión que repetirá el Comendador, en circunstancias aún más fúnebres (acto tercero, escena segunda), levemente alteradas.

¡Qué acorde inmenso en el trasfondo literario de la masa española desempeña el *Tenorio* de Zorrilla en estos tiempos últimos del siglo XIX! Porque no es una cita aislada, no es un capricho o hallazgo feliz de López Marín, parodiante más o menos afortunado. Es real y verdaderamente el pulso del tiempo, inevitable y quizá gustosa compañía. Trozos, versos, situaciones del *Tenorio* pueden reconocerse en *Carmela,* parodia de *Carmen,* obra también de Salvador Granés, y, por si tenemos dudas, se cita la obra claramente; Enrique García Álvarez y Antonio Paso recurren a la carta, la famosísima carta, en *Churro Bragas,* su parodia de *Curro Vargas.* Y la carta estremecedora y clave de la zarzuela base es recibida en la parodia con el familiar *Qué filtro envenenado,* etc. (Hay algún recuerdo más, no solamente éste, que cito por ser el puesto quizá con más descaro.) En *El mojicón,* ya recordada, también Granés acude a Zorrilla *(Los hijos como tú / son hijos de Satanás... Reportaos, por Belcebú).* Y por si hubiese quien no lo entiende, o por disimular la basta trama del momento, se ve obligado a aclararlo: "Basta de don Juan Tenorio". Versos del *Tenorio* pueden reconocerse en *¿Cytrato? ¡De ver será!* Y en tantos más. Filigrana del tiempo, el ademán común de un estilo vital que se complace en determinadas circunstancias. Por todas partes Don Juan bulle y rebulle. Un discurso del Marqués de Alhucemas, en réplica parlamentaria a la oposición dice, y muy en serio, aquello de "los muertos que vos matáis / gozan de buena salud" (noviembre, 1918). Y el propio Ramón del Valle Inclán era especialista declamador de la obra de Zorrilla, y convertido incluso en Doña Brígida sabemos que la representó [3]. Pulso

---

[3] Se recuerdan estas representaciones en *El mirlo blanco,* el teatro casero de Ricardo Baroja, en JULIO CARO BAROJA, *Recuerdos valleinclanesco-barojianos,* en *Revista de Occidente,* noviembre-diciembre, 1966, págs. 302

colectivo, que revela una encendida ilusión: la de perder la frontera lejana entre tierra y cielo, la de engañarnos con la ficción querida y voluntariamente acariciada.

¿Se trata de una parcelación del ambiente literario? No lo es por lo menos en el sentido que tiene la voz "parcelación". Sí lo es en el amplio y noble valor de elección de unas estimaciones. Es decir, representan estas citas el fondo de la peripecia vital en que estamos viviendo. Nos lo demuestra plenamente el resto de hechos *literarios* que puedo sacar de las parodias. ¿Cómo nos puede extrañar la repulsa noventayochista a Echegaray, si aquí la encontramos también? *La Fosca,* ante lo truculento de alguna situación dice: "Pues aún falta lo peor. / Ni un drama de Echegaray". Y el aprecio hacia Espronceda y sus recuerdos, tantas veces utilizados por Valle, ¿no están presentes ya en un trozo de *El balido del zulú:* "*¡Hurra, cocheros, hurra!*"? [4]. La cita, un tanto ambigua, de *Las vengadoras,* de Eugenio Sellés en *El gorro frigio* [5], ¿no nos lleva de la mano a tantos juicios violentos de *Luces de bohemia*?

Nos encontramos, pues, ante un clima, un consenso general que tolera el uso —y hasta el abuso— de lo ajeno

---

y sigs. En apoyo de lo que venimos señalando, recogeré la anécdota que divulga R. Gómez de la Serna, en su pintoresca biografía de Valle Inclán. Según su aserto, Valle, al ser detenido en su casa por la policía gubernativa, bajo el gobierno del General Primo de Rivera, recitó unos versos famosos:

He vivido lo bastante
para no ser arrogante
cuando no lo puedo ser.

(*Ramón del Valle Inclán,* pág. 160).

[4] El *Canto del cosaco* está vivo a lo largo de toda una escena de *El balido del zulú* (Cuadro primero, escena VI).

[5] "—¿Que es atrevida, y qué? ¿Dónde me deja usted *Las vengadoras,* de Sellés?

—No las trato" (*El gorro frigio,* escena VII).

dentro de lo propio. Estamos a un paso de la tan cacareada visión literaria de la existencia, típica de los modernistas. Valle Inclán no tuvo que hacer gran esfuerzo para aprender esa lección, que ya estaba infiltrada en el ambiente. Como en todas las situaciones ajenas en que puso mano, supo trascenderla, elevarla a una categoría de universal vigencia, quitarle el poso o la ganga que tal filón le mostraba. ¿No anda por aquí una explicación de raíz más lejana y valiosa que la tradicional aducida para los famosos "plagios", ya señalados de antiguo? Me gusta ver en el escritor todas las circunstancias que le van redondeando, no creo ciegamente en la genialidad. Y ver a Valle, el incomparable Valle, en estrecha relación con el ambiente teatral de principios de siglo, me le ensancha, le da una profundidad humana que no brota, en manera alguna, de la exquisita trama de sus libros primerizos.

El procedimiento caricaturesco y gesticulante de las parodias, aunado a la literatización ya verdaderamente delirante, nos explica dos de los esperpentos restantes. *Los cuernos de don Friolera* es la adaptación a estos procedimientos del tema del honor calderoniano [6]. El drama que hemos visto insinuarse paródicamente en las burlescas bromas del género chico alcanza aquí su más alto y depurado grado de infrahumanidad, de mueca sangrante y risible. Vamos siguiendo una marcha ascensional, lenta y segura, en la que el mito literario pierde, inexorablemente, sus brillos y sus situaciones más aceptadas. Y ya no nos ofrece más que un camino de nítida luz la trayectoria que lleva a *Las galas del difunto,* esperpentización total de *Don Juan Tenorio,* de

---

[6] También se ha interpretado *Los cuernos de Don Friolera* como una parodia-esperpéntica de *Otelo,* y no faltan argumentos para hacer incidir la burla sobre *El gran galeoto,* de Echegaray. (G. Díaz Plaja, *Las estéticas de Valle Inclán,* págs. 235 y sigs.)

Zorrilla. Citas constantes, recuerdo constante del drama disperso en ráfagas por el ambiente, Valle representándolo, medio en broma, medio en serio... Como ha visto ya la crítica más sosegada, este esperpento es la cúspide de un sistema de desmitificación, de marcha hacia el encanallamiento y la indignidad [7].

Y es ahora cuando vemos en su plena y rigurosa función la aparente irreverencia shakespiriana del cementerio en *Luces de bohemia:* estamos asistiendo a una parodia de *Hamlet.* Y como ya nos hemos venido acostumbrando, no necesitamos adivinar en aquellos sepultureros que despliegan una leve gramática parda, con ribetes de picaresca y de murmuración, a los sepultureros canturreantes de la tragedia base. Existe la alusión directa: "¿Serán filósofos, como los de Ofelia?". (En la primera redacción: "¿Serán esos los sepultureros de Ofelia?".) Como en el drama de Shakespeare, las figuras aparecen en distinta ocasión, cada pareja por su lado. Las meditaciones escalofriantes de Hamlet ante las calaveras maltratadas se reducen aquí a esa amarga conclusión de "¡Dura poco la pena!", a decir que no se ha conocido nunca una viuda inconsolable, a reconocer que el que queda no guarda casi nunca relación con el muerto. La conversación de Hamlet con los enterradores surge de nuevo en la charla de Bradomín con los colegas madrileños de oficio. Hasta la pregunta sobre la edad se respeta, a través de ese "Pocos [años] me faltan para el siglo". El largo diálogo entre Hamlet y los acompañantes del cadáver de Ofelia, se ve reducido aquí a la meditación sobre el drama entero, y a su posible adaptación a la escena española. Así se nos ilumina, a través de lo paródico, la cita de los nombres teatrales españoles. El recuerdo de Echegaray, de Sellés, las bromas

7 JUAN B. AVALLE ARCE, *La esperpentización de Don Juan Tenorio,* en *Hispanófila,* núm. 7, 1959, págs. 29-39.

sobre Sardou, quedan repetidas, desde una misma vivencia humana, en el resumen de Valle Inclán: "...Hamlet y Ofelia, en nuestra dramática española, serían dos tipos regocijados. ¡Un tímido y una niña boba! ¡Lo que hubieran hecho los gloriosos hermanos Quintero!".

Pero aún nos queda más que añadir. Como en tantas ocasiones del esperpento inicial, la realidad viene a rodearnos como el mejor armónico a esta vida literatizada de los años iniciales del siglo. Y es precisamente en esta escena donde mejor podemos verlo. Un testimonio de Pío Baroja viene en nuestra ayuda: "Muchas veces, otros amigos y yo, llevados por cierta tendencia macabra fuimos de noche a unos cementerios románticos, próximos a la calle Ancha, hacia Vallehermoso, cerca del Canalillo. Al mismo tiempo que nosotros buscábamos la impresión lúgubre, una pandilla de golfos se dedicaba a robar alambres del teléfono y a desvalijar las tumbas. A alguno se le ocurrió, por lugar común literario, que allí se podría representar la escena en que Hamlet recibe de los sepultureros la calavera de Yorick, el bufón del Rey" (*Rapsodias, Ob. completas*, V, pág. 891). Nuevamente esa íntima fusión de la verdad y la ficción, de la anécdota y de la creación literaria, tan típica de Valle Inclán, y muy especialmente, señaladora, vivísima señaladora del esperpento inaugural [8].

Para redondear este aspecto de lo paródico, creo que es de gran utilidad, y para ver la actitud frente al texto ilustre, comparar el *Hamlet* valleinclanesco con *Dos cataclismos,*

---

[8] También Azorín ha recordado la idea de representar el episodio de *Hamlet* en el cementerio: "Fuimos varias noches, después de la tertulia del café, a uno de esos cementerios abandonados... No sé quién de nosotros tuvo la idea extraña: representar el cuadro del cementerio en *Hamlet* en aquel camposanto. La primera noche en que luciera la luna, plena luna, allá nos iríamos llevando aprendido cada uno su papel. ¿Quién iba a hacer de Hamlet?" (*Madrid, Los cementerios,* págs. 43-54).

de Granés. En el exagerado drama de Echegaray, el fanático de la santidad, ante una sospecha de que su mujer tenía inclinaciones por la vida contemplativa y ascética, renuncia a su vida matrimonial y encierra a la mujer en un convento, donde, entregada a los rezos, se van marchando los años. En la parodia de Granés, esta separación del matrimonio se ve de la manera más grotesca y llamativa posible. El fanático ha visto a su mujer haciendo calceta un día de precepto. Ante semejante impiedad, sospecha de su locura y la encierra en un manicomio (se dice hasta el nombre del médico, muy familiar a cualquier madrileño de entonces) [9], y allí lleva quince años en observación.

El comparar las dos parodias nos revela muy bien la perspectiva en que ambos se colocan. Tan chocarrera es una como otra, tan inoperantes ambas. Pero la de Granés invoca directamente a la risa, a la broma gruesa y francamente irrespetuosa. Valle Inclán se mueve en una zona de ancho desencanto, de crítica profunda, de una leve sonrisa. Ante estas circunstancias, me parece indudable que no podemos hablar, solamente, de los espejos cóncavos. Hay algo más. Hay una desnuda verdad, la del ángulo vital del hablante, que no se presenta en absoluto deformada, sino simplemente *se presenta*. La verdad limpita es, a veces, una cruel deformación.

---

9 "Mi papá es atroz en eso de la moral. Mira, quería mucho a mi madre, pero porque la pilló un domingo haciendo calceta, se la llevó al doctor Esquerdo, y allí está en el manicomio quince años, en observación" (*Dos cataclismos*, Cuadro I, escena I)

QUEJA, PROTESTA

Dentro de la andadura interna de *Luces de bohemia,* nos encontramos con varios rasgos sobre los que hay que llamar la atención. Son esas directas alusiones a sucedidos, prohombres, etc., contemporáneos y conocidos. Es el fondo humano que nos ha servido para ver lo que el libro encierra de protesta, de grito acalorado contra algo, de evidente llamada a la honestidad.

Sí, es indiscutible que *Luces de bohemia* es una obra con un fuerte trasfondo de protesta social. Estoy de acuerdo con la sagaz interpretación de Pedro Salinas, quien fue el primero en llamar la atención sobre este aspecto del libro [1]. Con *Luces de bohemia,* Valle Inclán se incorpora, hijo pródigo, al quehacer de sus colegas de generación, asaeteados por la preocupación de España. Mirando atentamente la circunstancia y la sazón en que ese libro se produce, nos encontramos con un Ramón del Valle Inclán que, ya cansado de una literatura preciosista, ahito de princesas, salones, aristocracia, opulentismo, siente, como todo creador puro, la nostalgia de las visiones sencillas y elementales. Es, en cierto

1 PEDRO SALINAS, *ob. cit.,* págs. 112-114. Con posterioridad, GONZALO SOBEJANO ha escrito palabras sagaces sobre el aire crucial de nuestro esperpento. Véase ahora *"Luces de bohemia", elegía y sátira,* en *Papeles de Son Armadans,* n.º 127, octubre, 1966, págs. 89-106.

modo, el caso de Rubén Darío. Años y años tras la pompa brillante de exotismos y exquisiteces, de palabras deslumbradoras y sugerentes, en charloteo con personajes literarios, *raros,* para un buen día atreverse a decir, lisa, llanamente, una cenefa de sombra en la voz:

¡Francisca Sánchez, acompáñame!

Arranque de gran hondura, sólo posible cuando en la realidad próxima hay un soporte, un apoyo que respalde. Quizá en el caso de Valle Inclán, también se ha planteado esa urgencia de buscar un sostén en la realidad circundante, y esa realidad no ha podido complacerle. La realidad próxima solamente podía ser asidero grato si se estaba como la enamorada del Rey, en la farsa que lleva este nombre: O locos o mal de la vista. El contorno de Valle era una España caduca, enfermiza, sin arraigo ni ética. Entonces, cuando la realidad se contempla detrás de las lágrimas, es cuando desearíamos destrozarla, removerla de sus falaces cimientos, reiniciar una vida en luminoso creciente. De tal realidad, apretujada con santa furia entre las manos, se exhalan, por las fisuras de aquí y de allá, los motivos esperpénticos, la crecida pena de los figurones inútiles, de las acciones equívocas, de la trampa social. Esto es *Luces de bohemia:* la concreta España, sorprendida en el reverso de su llamativa traza, cáscara que se desmorona al ser exhibida fríamente.

Hacia 1920, España se va asomando a un horizonte de nuevo aliento. La conmoción de la huelga de 1917 se va superando, o mejor, se van esquivando sus consecuencias a base de bandazos políticos de muy encontrada orientación. Valle Inclán debió vivir con la angustia que produce la auténtica participación en esos vaivenes: "España es el problema primario, plenario y perentorio", había dicho Ortega [2]. Valle habrá visto el lento declinar de muchas instituciones, la hueca palabrería con que se pretendía evitar su derrumbe, la falta de honestidad administrativa. En fin, todo lo que sus compañeros de generación habían venido ya largo tiempo señalando. La machaconería unamuniana o barojiana, o las agudas y reiteradas observaciones de Azorín, caben, condensadas, elevadas al mayor exponente, en esta frasecilla de *Luces de bohemia:*

> ¡España es una deformación grotesca de la civilización europea! [3].

Valle Inclán se añuda con *Luces de bohemia* a ese hilo soterraño que empalma las preocupaciones de su generación.

---

[2] "Entre nosotros el caso es muy diverso: el español que pretenda huir de las preocupaciones nacionales será hecho prisionero de ellas diez veces al día y acabará por comprender que para un hombre nacido entre el Bidasoa y Gibraltar es España el problema primero, plenario y perentorio. Este problema es, como digo, el de transformar la realidad social circundante. Al instrumento para producir esa transformación llamamos política. El español necesita, pues, ser antes que nada político" (J. ORTEGA Y GASSET, *La pedagogía social como programa político, Obras completas,* I, pág. 498).

[3] Las aseveraciones sobre la deformidad social de España son numerosas en *Luces de bohemia.* "España, en su concepción religiosa, es una tribu del centro de Africa". "¡Está buena España!". "¿Qué sería de este corral nublado? ¿Qué seríamos los españoles?" (E. II). La afirmación indirecta sobre la conducta de un ministro ("¡El señor Ministro no es un golfo! —¡Usted desconoce la historia moderna", E. V), el recuerdo de los patronos catalanes, las citas de la barbarie ibérica, o frases como "¡Te has muerto de hambre, como yo voy a morir, como moriremos todos los españoles dignos!" (E. XIII), o "¡En España es un delito el talento!" (E. XIII), "¡En España se premia el robar y el ser sinvergüenza! ¡En España se premia todo lo malo!" (E. XIV), etc., deben ser consideradas como armónicos dispersos de una melodía central que logra su máximo tono en el grito desgarrado de Max Estrella en la cárcel, en el que funde al obrero catalán con el recuerdo del anarquista Mateo Morral, quien arrojó una bomba al paso de la comitiva nupcial de Alfonso XIII y Victoria Eugenia de Battenberg: "Mateo, ¿dónde está la bomba que destripe el terrón maldito de España?" (E. VI).

La realidad española no le sirve, no le satisface, como antes, desde un punto de vista estrictamente idiomático, no le servía la lengua tradicional, "vieja de tres siglos" [4]. Esa España está vista, repito, a través de una lágrima (excelente y bien explicable espejo cóncavo) o estrujada entre los dedos. Y de ahí la resultante: esquinadas aristas, maltrecho proceder, pérdida de la solemnidad y del engolamiento, marcha hacia la nada total. La princesa Gaetani, siempre ponderada y medida, altiva y exquisita, se convierte en la Reina castiza, repolluda, gesticulante, arrabalera, fugitiva hacia un baile de candil. Rosario, la princesita ingenua, toda virtudes y pudores, se trueca en la Pisabien, o en la Lunares, donde el amor, la castidad, el comedimiento, aparecen bajo signos muy distintos. El andar majestuoso y acompasado de prelados, nobles, reyes, etc., se reduce al andar de Max Estrella, ciego, que, a tentones, manos extendidas, irá de tropiezo en tropiezo, de taberna en taberna, a la cárcel, a su buhardilla desnuda y polvorienta, a la muerte en fin. Nada más ilustrador, para destacar este proceso hacia la devastación de unas jerarquías, que la imagen de un ministro. De un ministro de la España de 1920, tradicionalista y palatina, cuidadosa centinela de las apariencias, sería la imagen que nos prodigan las revistas ilustradas por esas fechas. Inauguraciones, jura de cargos, cotidiana primera piedra en el suburbio, Capilla pública en Palacio, bautizos de los allegados a la Familia Real. Y lo vemos de rancia casaca, espadín, innumerables plumas en el sombrero arcaico, gigantesca masa de condecoraciones en el pecho [5]. Ese ministro sale, en el uni-

---

[4] *La lámpara maravillosa*, pág. 83.

[5] Es la imagen primeriza y superficial que las revistas ilustradas nos proporcionan. Una vida idílica, sosegada, de fiestas multicolores y nostalgia de un fastuoso pasado se desprende de las fotografías de esas publicaciones, hoy ajadas y vagamente ridículas. Puestas en el quicio donde pierden su brillo, esas publicaciones quedan *esperpentizadas*. Es inevitable traer a la

versal estrago, captado en un momento de caída, de relajación de los frenos, en ese delicado momento de la interioridad recatada, cuando no es aún fachada, desceñido:

> Su Excelencia abre la puerta de su despacho y asoma en mangas de camisa, la bragueta desabrochada, el chaleco suelto, y los quevedos pendientes de un cordón, como dos

---

página la cita de *Blanco y Negro,* aducida en *Las galas del difunto:* "EL RAPISTA: ¡Y tampoco es unánime en el escalpelo toda la Prensa! ¡La hay mala y la hay buena! Vean ustedes publicaciones como *Blanco y Negro.* Doña Terita, si usted desea distraerse algún rato, disponga usted de la colección completa. Es la vanagloria que tiene un servidor y el ornato de su establecimiento. LA BOTICARIA: Creo que trae muy buenas cosas esa publicación. EL RAPISTA: ¡De todo! Retratos de las celebridades más célebres: La Familia Real, Machaquito, La Imperio. ¡El célebre toro *Coronel!* ¡El fenómeno más grande de las plazas españolas, que tomó quince varas y mató once caballos! En bodas y bautizos publica fotografías de lo mejor. Un emporio de recetas: ¡Allí, culinarias! ¡Allí, composturas para toda clase de vidrios y porcelanas! ¡Allí, licorería! ¡Allí, quitamanchas!..." Es indudable que detrás del párrafo hay una llamada a calar con la mirada en la revista, buscando *lo que no está.* Esa amplia parcela de la vida colectiva que al decir de Unamuno, no brilla en la Historia, pero la hace. Detrás de esta tan socorrida cita de *Blanco y Negro* está la más delicada superación artística de todos los supuestos noventayochistas sobre la intrahistoria.

Y como en tantas ocasiones, los textos vecinos son el mejor acompañamiento para muchas de las afirmaciones dispersas. Ese toro *Coronel,* existiría o no existiría. Pero Eugenio Noel recuerda *la actitud,* el *estilo vital,* de esa afirmación. "Un señorito poseía la cabeza de *Aguarrás.* En la placa metálica que, a modo de etiqueta o garantía, fijan al pie, constaba que *Aguarrás* había tomado el día de tantos de tal año de cual fecha diez y seis puyazos, matando doce caballos. Esta resistencia inaudita que hizo célebre al toro, trastornó el cerebro del señorito chulo, y "tirando de cartera" dio por ella veinticinco mil pesetas 'mondas y lirondas'. Su vida brava de rico vago le llevó a una casa de juego, donde perdió todo, hasta el honor; apostó la cabeza de *Aguarrás* y la perdió. Quiso suicidarse y pudieron impedirlo. La *browning* aún en la mano, dijo el señorito estas palabras eternas: Si pierdo la mía no lo siento tanto" *(Señoritos chulos...,* pág. 134). Insisto: no se trata de la puerilidad de reconocer la bestia concreta que, en una plaza cualquiera, demostró las fuerzas propias de su oficio, sino la categoría espiritual de un clima humano, que en el esperpento sale, definitivamente ya, reducido a ruin escoria.

> ojos brillándole sobre la panza — Su Excelencia se hunde en una poltrona, ante la chimenea que acuesta sobre la alfombra una claridad trémula. Enciende un cigarro con sortija y pide la Gaceta. Cabálgase los lentes, le pasa la vista, se hace un gorro y se duerme (E. VIII).

Naturalmente, lo extraordinario es la tensa voluntad de estilo, la armonía íntima que lleva el autor a este constante avanzar en idéntico sentido. *Toda* la vida ha de someterse a igual torsión: el amor estudiado y con flecos líricos de las *Sonatas* se encamina hacia las escenas nocturnas en la verja del Jardín Botánico. Los gritos patrióticos de las personalidades, tan frecuentes en las conmemoraciones, centenarios, etcétera, son aquí dados por un loro, con la voz de un loro. Los discursos de circunstancias, manto de la patria en revolina, discursos del 12 de octubre, del aniversario de la coronación, se reducen a la gritería de un chiquillo pelón, montado en un caballo de caña, que enarbola bandera —seguramente de papel...

Y sin embargo... Pienso que se ha exagerado el papel desgarrador de este arte. Porque para que este aire estridente y protestatario tenga una evidente eficacia, haría falta una soledad de gigante en sus denuncias, un riesgo sobrecogedor en su dureza. Y son las parodias, las obrillas del género chico las que nos llevan, ¡otra vez!, hacia esta meta de burla política y social. La diferencia está estrictamente en la mayor resonancia que este tema recibe en Valle Inclán, pero el procedimiento es el mismo. Y es lo que ahora nos interesa. No estamos haciendo Historia de las ideas solamente, sino del hecho literario esperpéntico.

Y no sólo en la cotidiana representación podía oirse la burla política, más o menos disimulada. Se oye sobre todo en los escritores que, de una u otra manera, miran su circunstancia. *Luces de bohemia* se nos presenta así, vista desde este ángulo, con muy poca "deformación", más bien como un periódico más, la parodia de un periódico, que recogiese lo que, en los diarios sometidos a la constante alteración de las leyes vigentes, ha sido encerrado entre mudos paréntesis. La literatura del tiempo es un sólido subsuelo sobre el que apoyar *Luces de bohemia,* exquisita depuración de palabras vivas, reducidas a un grito, a una risa dolorida. Veamos de cerca algunos ejemplos de esta realidad maltrecha, ante la que Valle Inclán se limita a poner un comentario.

Digo solamente *algunos ejemplos,* porque, al poner *Luces de bohemia* en relación con su contorno, se agolpan tumultuosamente los hechos, las estimaciones literarias y humanas, las voces de una humanidad que, entristecida y preocupada, se desliza por los cafés, los teatros y las redacciones madrileñas. Por eso, es necesario espigar solamente en algunos casos. Sea el primero el de la triste bohemia que reflejan título y personajes. Y nos encontramos con que la bohemia era una auténtica obsesión. ¿Qué mejor comentario al pasear sin rumbo y hambriento de los fantasmas de *Luces de bohemia* que un trozo de Pío Baroja? Nos lo cuenta en *Nuevo tablado de Arlequín:* "Andar por las calles y plazas hasta las altas horas de la noche, entrar en una buñolería y fraternizar con el hambre y con la chulapería desgarrada y pintoresca, impulsados por este sentimiento de caballero y de mendigo que tenemos los españoles, hablar en cínico y en golfo, y luego, con la impresión en la garganta del aceite frito y del aguardiente, ir al amanecer por las calles de Madrid, bajo un cielo opaco, como un cristal esmerilado, y sentir el frío, el cansancio, el aniquilamiento del trasnochador" (*O. C.,* V, pág. 93). "Sus principales puntos de reunión eran los cafés, las redacciones, los talleres de pintor y, a veces, las oficinas" (*Ibidem*) [6]. Y ahora, ¿hablaremos de deformación? ¿Acaso no hemos callejeado con Max Estrella por Madrid, de un lado a otro, de la calle de San Cosme, donde dice que vive, hasta la librería del Horno de la Mata, y de allí al Ministerio de Gobernación y a las verjas del Botánico, frío creciente, y hemos entrado en un café, y hemos pasado por la buñolería, apestosa de aceite, y hemos hecho alto en una taberna, y hemos fraternizado con la lotera y su amante, y hemos dado gritos en una redacción, y hemos jaleado el exiguo dinero, y hemos cobrado algo del fondo de reptiles, y hemos visto la primera palidez de la amanecida, hasta llegar al aniquilamiento del trasnochador? Sí, en esas cortas líneas de Pío Baroja está el esqueleto, la andadura material de *Luces de bohemia*. Pero aún hay más:

---

[6] Otros textos de Pío Baroja nos iluminan espacios de *Luces de bohemia* con nítida claridad. Así ocurre, por ejemplo, con *Adiós a la bohemia*, incluido en el *Nuevo tablado de Arlequín* (*Ob.*, V, págs. 101 y sigs.). Allí nos tropezamos con el grupo de mozos discutidores, el artista fracasado y sin directrices fijas, el que recibe dinero de la antigua amante, la nostalgia de los que han ido desapareciendo, las citas de Verlaine, los jóvenes melenudos y de larga chalina, etc. Y todo en el ambiente entre descarado y anónimo de un café. Por todas partes se respira una agravada inmediatez con muchas de las "deformaciones" de *Luces de bohemia*. En *Tres generaciones*, Pío Baroja vuelve a evocar esos años en los que se desarrolló, "principalmente en Madrid, una bohemia áspera, rebelde, perezosa, maldiciente y malhumorada". Baroja considera natural que esto ocurriera, dadas las condiciones sociales del escritor joven y destaca el paso de las ilusiones al alcoholismo y la golfería, inquilinas constantes del café. La gente identificó al escritor con el golfo. (*Loc. cit.*, V, pág. 579.)

En otros medios, la bohemia tuvo también su representación. Así ocurrió con esas *Memorias de bohemia*, escritas por el maestro Lassalle, memorias que, al parecer, quedaron inéditas. (L. RUIZ CONTRERAS, *Memorias de un desmemoriado*, pág. 310.) Como cita curiosa, diré que el maestro Lassalle y su mujer, María Kousnezoff eran contertulios asiduos de Enrique López Marín, el parodiante de *¡Simón es un lila!* Sin otros datos que la estricta noticia, añadiré que López Marín escribió algo que la pareja Lassalle llevó a Nueva York. Era algo donde María Kousnezoff cantaba y bailaba flamenco. (PRUDENCIO IGLESIAS HERMIDA, *Gente extraña*, pág. 128.)

hay la cita concreta de nuestros personajes: "Frecuentadores de las tabernas y buñolerías del barrio de Jacometrezo y sus alrededores fueron Alejandro Sawa con su perro, Cornuty, Barrantes, Paso y otros muchos bohemios de la época... Es un Madrid que... corresponde también a la época de hombres de mi tiempo, a la época de Galdós y Echegaray, de la cuarta de Apolo, del *Madrid cómico* y del café de Fornos lleno, con Granés que insultaba (¡el Granés de las parodias!); con Cavia, que bebía (recordemos el comentario sobre Cavia que hacen los guardias de Seguridad que llevan detenido a Max Estrella), y con Dicenta que disputaba" *(Ibidem,* pág. 817, *Vitrina pintoresca).* Bohemia, bohemia. En realidad, una muletilla, un ademán vital que, en el cruce de los dos siglos, adquirió pujanza y significación. Sólo así puede explicarse que una de las obras primerizas de Azorín, un libro de cuentos, pudiera titularse *Bohemia* (donde, por cierto, hay algunas narraciones que se desarrollan en la redacción de un periódico). También es Pío Baroja quien nos dice, al recordar aquellos días iniciales del siglo: "Al pensar en todos aquellos tipos que pasaron al lado de uno, con sus sueños, con sus preocupaciones, con sus extravagancias, la mayoría necios y egoístas; pero algunos, pocos, inteligentes y nobles, siente uno en el fondo del alma un sentimiento confuso de horror, de rebeldía y de piedad. De horror por la vida, de tristeza y de pena por la iniquidad social" *(Nuevo tablado de Arlequín, Ibidem,* pág. 95). Es trágicamente estremecedor que el desenlace de Max Estrella en *Luces de bohemia* aparezca presagiado en algunas líneas del propio Sawa, aterrorizado por la noticia de que alguien ha muerto de hambre en la calle. "El otro día, en Madrid, capital de nuestra sociedad, democrática y cristiana, un obrero fue hallado exánime en mitad del arroyo [7]. Murió de hambre. Un

[7] *Iluminaciones en la sombra,* pág. 125.

hermano nuestro ha muerto de hambre, en Madrid, en pleno día, sobre el empedrado de la calle. Esta noticia es de ayer, pero lo mismo podría ser de la víspera, o de la antevíspera, o de hace un mes, o ciento" [8]. Los periódicos de los años 19 y 20 recogen con frecuencia la noticia de alguien que muere de hambre y de frío en algún rincón de la ciudad, en los soportales del barrio antiguo, en el atrio de una iglesia o en el compás de un convento. Se hacen luminosas las palabras del mismo Sawa: "Esta tortura de vivir en el café y en la calle, — ¿por qué no habría podido condenárseme a otros lugares de destierro?" [9].

Sigamos espigando ejemplos: ¡Con qué rabioso desdén habla Pío Baroja de Manuel Camo, cacique local de Huesca, farmacéutico, a quien se elevó una estatua en la ciudad natal! Los jóvenes del tiempo fueron declarados enemigos de la manía estatuaria. *Gedeón,* 9 de junio de 1888, se burla de la futura estatua a Cánovas. El propio Alejandro Sawa es bien preciso sobre este hábito inmortalizador: "Sagasta murió ayer y ya se habla de consagrar su genio y sus hazañas con mármoles puros, con victoriosos bronces...

Inquiero sus méritos, y ni sus más entusiastas amigos saben responderme. Era un hombre muy simpático, dicen. [Siguen noticias sobre la incapacidad y poco valor de Sagasta...] Pero se curan de añadir que el hombre fue bueno. Sí, sin duda; bueno para sus deudos.

Los extranjeros, conocedores de nuestra historia, buscan, al llegar a Madrid, las estatuas, por ejemplo, de Cisneros, que hizo la nacionalidad; la de los conquistadores de América, que la alargaron; la de los hombres de Car-

---

[8] *Iluminaciones en la sombra,* pág. 171.

[9] *Iluminaciones en la sombra,* pág. 231

los III y aun la de este mismo rey, que la consolidaron. Hallan, en cambio las de unos cuantos generales ecuestres, por quienes los límites del hogar patrio no han tenido una sola pulgada de expansión, y la del horrible Cánovas, que nos emblanqueció la sangre y nos royó la cal de nuestros huesos con su letal eclecticismo. Dentro de poco se inagurará en el más soleado emplazamiento del Retiro, un monumento colosal a la memoria de ese pobre Alfonso XII..." (*Iluminaciones en la sombra,* pág. 136). Baroja se acuerda de la estatua de Camo en varias ocasiones (*Las horas solitarias,* pág. 269 [10]; *Tres generaciones,* pág. 573 [11]; *Divagaciones apasionadas,* pág. 497) [12]. Pues este señor Camo vuelve a salir, un escalón más abajo, ya sólo recuerdo en una boca secundaria, inculta y plebeya, la de Picalagartos el tabernero:

PICA LAGARTOS. Son ustedes unos doctrinarios. Castelar representa una gloria nacional de España. Ustedes acaso no sepan que mi padre lo sacaba diputado.

---

10 "Al salir del Gobierno civil contemplamos la estatua de Camo, el cacique de Huesca, hecha por Julio Antonio, y Aláiz cuenta algunas cosas chuscas de la estatua mientras estaba en el taller del escultor" (*Obras,* V, pág. 269).

11 "El joven oscense no tendría necesidad de saber que Gracián o Goya eran aragoneses; pero tendría el alto honor de saber que era paisano del señor Camo, farmacéutico excelso, que al mismo tiempo que vendía la mejor zarzaparrilla de los montes de Aragón, caciqueaba en la provincia de Huesca con el no menos excelso periodista don Miguel Moya" (*Obras,* V, pág. 573).

12 "¿Qué hizo el señor Barroso para tener una estatua en Córdoba? Hizo lo mismo que pudo hacer el Conde de Romanones en Guadalajara, Montero Ríos en Santiago de Galicia, Moret en Cádiz, Calbetón en Deva, y un boticario llamado Camo en Huesca, que, al parecer, era gran cacique y muñidor electoral, y quizá un buen fabricante de ungüentos y de sinapismos" (*Obras,* V, pág. 497).

PISA BIEN. ¡Hay que ver!
PICA LAGARTOS. Mi padre era el barbero de Don Manuel Camo. ¡Una gloria nacional de Huesca!
(E. III).

No creo que hubiese en la experiencia personal de Valle Inclán relación alguna con el boticario oscense, gran muñidor electoral. Es, sin más, el latido del tiempo, el aliento colectivo, que sale a flor de historia de maneras diferentes. Otros ejemplos nos lo van a demostrar mejor.

Estamos en la calle madrileña, frío, niebla nocturna, con los alborotadores poetas modernistas (E. IV). El griterío, las bromas altas se apoyan en el lejano rumor de las cargas policiacas, con toques de atención y cascos de caballos. En este ambiente vamos a oir los Nuevos Gozos del Enano de la Venta. Las dos redacciones presentan diferencias notables en esos Gozos, pero el Enano está en ambas. ¿Alusión a alguien? Sospecho que sí, como ocurre siempre. La revista *Gedeón,* tan auxiliadora, nos pone en la probable pista. En el número correspondiente al día 16 de agosto de 1899, una caricatura a toda página pone ante nuestros ojos al Enano de la Venta. El popular personaje folklórico aparece sustituido, en la ventana del mito [13], por el general Valeriano Weyler, por aquellos días en Mallorca, desde donde hacía declaraciones políticas de cierta amenazadora violencia. El año de *Gedeón* se termina sin dejar en paz al

13 "*Ser o parecer el enano de la venta*". "Dícese por mofa, de la persona baja o regordeta. Y de los que emplean frecuentemente bravatas y amenazas sin pasar adelante. El origen del dicho es el siguiente: Cuentan que, en cierta venta, cuando se armaba gresca o cuando alguien se negaba a pagar al ventero, asomaba por una ventana la cabeza descomunal de un ser que parecía un gigantón, y que, con voces estentóreas, decía: —¡Si bajo! ¡Si voy allá!— Hasta que un mozo de pelo en pecho no se intimidó, y al grito de ¡Si bajo!, replicó: ¡Baje vuesa merced, seor guapo! Bajó efectivamente el que todos creían un gigante, y se vio, con risa y chacota

general, famoso por sus campañas en Cuba y por sus actuaciones en Cataluña (y por su increíble desaliño personal). El 23 de agosto le vemos inyectando "revolución" a su caballo; el 27 de noviembre, y para ser más fiel al mito del Enano de la Venta, se habla de lo fallido y hueco de las amenazas del general: "Todas las amenazas del general Weyler han venido a parar... En que está escribiendo sus *Memorias.*" Aún hay más ataques al veterano militar, representado siempre con ridícula exageración de su descuido en el vestir y de su muy corta estatura. No he encontrado, a pesar de mis rebuscas, más huellas de que se llamase popularmente a Valeriano Weyler *el enano de la venta.* Pero esta caricatura y su vigencia política armonizan muy bien con el contexto general de esos años reflejados en *Luces de bohemia.* Se trata de una de esas ráfagas que atraviesan de pronto la maraña vital del recuerdo, un armónico inexcusable a la alharaca fácil de la noche con preocupaciones políticas, hambre, poco dinero, esperanzas de transformación. En este caso, además, puede parecer unida a las posteriores intervenciones del general en la vida pública [14].

Entremos en la redacción de *El popular* (probablemente, contrafigura de *La mañana,* diario de García Prieto, Marqués de Alhucemas). Allí, con el alboroto y la familiaridad de sentirse en lugar resguardado, los poetas modernistas ex-

---

de todos, que el temido ser era un enanillo despreciable" (S. MONTOTO, *Personajes, personas y personillas...* I, pág. 268). Véase también JOSÉ M. IRIBARREN, *El por qué de los dichos,* Madrid, 1956, pág. 395-396.

[14] En *Madrid cómico* (4, junio, 1910), leemos: "El general Weyler ha hecho, a propósito del terrorismo en Barcelona, unas declaraciones verdaderamente interesantes. Ha dicho que esta cuestión le preocupa, que la estudiará a fondo y que aplicará cuantos medios sean necesarios para terminarla. —¡Bravo! Gedeón no hubiera hecho otras declaraciones."

Como puede apreciarse, todo ayuda a la identificación momentánea del general con el enano del mito.

ponen multitud de opiniones sobre otras tantas cuestiones de la vida nacional (E. VII). Particularmente grave puede ser la afirmación de que el jefe impulsor e inspirador del periódico donde estamos es, en el sentir de aquellos desheredados, "un yerno más". La alusión a ciertos modos de la administración queda patente. Pues, no obstante, es un lugar común de mil facetas de la vida nacional entonces. Pérez de Ayala, en excelente, cuidadosa prosa pulida, habla de la conformación de las Cámaras, denunciando el sistema familiar que nutre los escaños [15]. Era afirmación que no podía causar extrañeza alguna. Quizá la extrañeza la produce su larga permanencia sobre el ruedo vivo de España. Porque mucho antes, en 1886, ya en *La Gran Vía* se oía (y hablado, para que se entendiese bien)

> CABALLERO. Compañía italiana
> de los niños Lambertini.
> PASEANTE. ¿Más niños? ¿Hay yernocracia
> en los teatros también?

Sí, yernos, alnados, parientes, compadreo... Una muy ancha concepción tribual que abruma por todas partes parece ser el eje mantenedor de los partidos políticos. Una ojeada a la revista satírica *Gedeón,* en los años cruciales del siglo, nos da unas sabrosas aclaraciones. 13, enero, 1808: Se habla de unas Cámaras donde los diputados de

---

[15] "No siendo la comunidad política española una orden religiosa, que para profesar en ella se exija el voto de castidad, dedúcese que casi todos los ministros y ex ministros tienen hijos e hijas, y se supone que algunas de estas hijas han contraído matrimonio. Pues bien, todos estos hijos y yernos de ministros y ex ministros, más sus hermanos y sobrinos, más, acaso, ciertos nietos —porque entre los ex ministros los hay ya caducos y carcamales—, más los supermentados clientes, parásitos y servidores, componen la cámara de Diputados" (*Política y toros,* págs. 64-66).

la futura mayoría asistan en caballitos de cartón, aludiendo a los futuros descendientes de Sagasta. 20, enero, 1898: "Al cambiar de política, no hemos hecho más que cambiar de parientes". El mismo número llama *cuneras* a las oposiciones parlamentarias. La portada del 27 de enero del mismo año nos muestra al nietecito de Sagasta jugando con una casa de naipes: esa casa es el Congreso de los Diputados. En 6 de abril, se habla jocosamente de unas "Cortes familiares". Se revisan los familiares de los políticos: Sagasta tiene nueve; el Ministro de la Gobernación, veinticuatro. La revista redondea el comentario con un pasaje de *Don Juan Tenorio*: "Son pláticas de familia, / de las que nunca hice caso".

Corriendo el tiempo, la repetida revista acusa los hábitos de los políticos en 1905 (8 de junio), en una nota donde se habla de la copiosa familia de Maura en las Cortes futuras, disimulándolo bajo el nombre de la Institución benéfica *La gota de leche*. Un mes más tarde, 2 de julio, la portada del número —sigo hablando de *Gedeón*— nos asombra con unas "Variaciones sobre un cuento viejo: Pues, señor, éste era un señor don Eugenio, que tenía tres hijos políticos y los metió en tres botijos, etc...". En la parodia del cuento tradicional, los hijos, metidos en los respectivos cacharros, son García Prieto (Ministro de la Gobernación), Vincenti (Alcalde de Madrid), y Martínez del Campo (Presidente del Tribunal Supremo). El mismo Eugenio Montero Ríos es vapuleado el 9 de julio, en el "Programa del Gran Circo Liberal". La burla resulta sencillamente atroz: allí se habla de la "Compañía cómico-democrática-yernocrática" de "Montero Ríos, procedente del Tratado de París, donde fue una de las mayores atracciones", etc. Naturalmente, los yernos son recordados con desoladora frecuencia. Todo el año 1905 sigue en igual tono. En 24 de septiembre, una caricatura nos ofrece a García Prieto en un baile, contestando por los invitados, todos familiares. El 22 de octubre, con motivo de la visita a Madrid de M. Loubet, Presidente de la República francesa, una caricatura escalofriante denuncia el régimen de cacicazgo. En una recepción, Montero Ríos le va presentando al Presidente los altos cargos españoles, todos de su familia. El Presidente francés no puede saludar a tantos: "Sólo voy a *restar* tres días en Madrid...". Llegamos a 1909. El número de 25 de abril recuerda, en parodia, algunos sainetes de Don Ricardo de la Vega. Entre otros varios, aparece *De Lourizán al Paraíso, o La familia del tío Maroma,* donde se reconoce a Montero Ríos y sus innumerables yernos detrás del inmediato resonar del sainete famoso *De Getafe al Paraíso o La familia del tío Maroma* (Lourizán es el sitio de la ría pontevedresa donde Montero Ríos habitó un gran palacio, aún existente). Y sigue la burla, infatigable, reiterativa, en 1910, 1911: 26 de noviembre de este último año: Una caricatura nos ofrece a Montero Ríos bajo un gigantesco paraguas, albergador de yernos, hijos, parientes, etc. El pie dice: "El paraguas del abuelo". ¿Para qué seguir? Como siempre, lo prodigioso en las alusiones contemporáneas de *Luces de bohemia* está en esa reducción a una simple pincelada, a una vivísima ráfaga de luz deslumbradora, por la que se infiltra una larga peripecia histórica: "Un yerno más". ¿Podrá escandalizarse alguien después de lo que vengo recogiendo? Esa escueta frasecilla, dejada caer sobre la mesa de una redacción, grita y duele más, desde su frágil y aparente intrascendencia, que toda una copiosa literatura colérica o satírica. ¿Quién se acuerda ya de un largo ataque que aparece en *Madrid cómico (La carrera de pariente,* 20, julio, 1901), firmado por Félix Méndez? ¿Y del autor? En cambio, la reunión dicharachera en la redacción de *El popular* sigue latiendo, acusadora.

Una visión rápida puede escandalizarse un tanto al leer los frecuentes ataques a don Antonio Maura, el político archifamoso, tantas veces llamado a la Presidencia en circunstancias gravísimas. Abundan por *Luces de bohemia* los ataques directos. Sin embargo, no podremos afirmar nunca si son ataques al político cuyas dotes eran reconocidas (aunque a regañadientes) o si no es más que una nueva prueba de esa inconsciencia del hombre de la calle, del desheredado que se mueve entre rencores, indecisiones y malquerencias. No era, ni mucho menos, un alarde de inusitada valentía el atacar al jefe conservador (por aquellos años condecorado con el Toisón de oro) [16]. Ya en *La Fosca*, la parodia de Granés, cuando, pretendiendo amilanar al mentido Alcayata, Fosca le amenaza con acusarle ante el gobernador, Alcayata responde:

De tu amenaza me río,
no cometas tal desliz.
¿Pues no sabes, infeliz,
que Maura es amigo mío?
FOSCA. Maura no es Ministro ya,
y me tiene sin cuidado.
ALC. ¿Ha muerto?
FOSCA. Y le han enterrado.
ALC. *(Con fuerza y mala intención.)*
Pues bien enterrado está.

---

16 El número de *España* correspondiente al 30 de octubre de 1920 recoge en su *Panorama grotesco* (tengamos en cuenta el titulillo de la sección, *grotesco)*, la ceremonia de entregar el Toisón a Maura y armarle caballero, a la vez que al infante don Gabriel. Para exaltar la atmósfera ridícula, el suelto afirma que es "copiado de ABC".

Lo verdaderamente pintoresco de estos versos es que en la edición de la parodia, 1905, figuran entre signos de llamada, cuya aclaración explica: "Cuando pase lo oportuno de la actualidad, pueden suprimirse estos versos". Es decir, la caricatura era válida en tanto podía provocar, en un público inculto e irresponsable, la risa momentánea. Después, podía poner en peligro el éxito de la obra. La diferencia con las citas de Valle está probablemente en que lo que en realidad se deforma y crucifica es esa facultad innoble de la multitud para burlarse del caído y no estimar, ni intentarlo siquiera, las dotes del que pasó. Una opinión muy extendida hacía ver a don Antonio Maura en el protagonista de *La ciudad alegre y confiada.* Contra esta opinión se rebela por ejemplo Pérez de Ayala [17], quien encuentra otros personajes de la política nacional más pintorescos y teatrales que el Sr. Maura. Y entre esos personajes que Pérez de Ayala cita, nos encontramos con algunos de los que son nombrados también en *Luces de bohemia* (nombres que también cita Pío Baroja alguna vez, y por razones muy parecidas). Por todas partes nos encontramos esta común filigrana. Y la vemos prefigurada en todo ese clima teatral rápido y pasajero. No sólo en la recordada cita de *Fosca,* sino en otras muchas, renovándose, nueva trasmisión tradicional de variantes, en los versos de cada noche, seguidores fieles del suceso. *Los cocineros,* de 1897, es muy buen ejemplo. Allí se hablaba del peroné de Sagasta, y otras lindezas, y su éxito era ayudado por la casi cotidiana alusión a los figurones políticos [18]. Al cebarse sobre el ex-jefe del partido conservador, Ramón del Valle Inclán no inventaba absolutamente nada.

---

17 *Las máscaras,* II (*La comedia política*), págs. 220-221.

18 No he podido encontrar el texto de una revista estrenada en el Teatro Martín, *Crisis total* (14 mayo, 1920). Por su título, no parece descabellado pensar que alguna referencia política contiene.

Pienso, en cambio, que llamaba al orden a los que sin otra cosa que gritar, atacar o insultar fueron incapaces de soluciones nuevas y decorosas. Ataques a Don Antonio Maura son de una frecuencia desazonadora. En todos los tonos y desde todas partes. Desde los de Pío Baroja, que se queja agriamente del estilo literario del entonces Director de la Real Academia Española, hasta las torpes bromas de los periódicos (que son las más afines a las violentas de *Luces de bohemia*). *Gedeón*, de mayo a diciembre de 1903, le dedica sus más envenenados comentarios. Y para ya nuestro viejo interés sobre las parodias, es útil recordar que el político es el personaje central de varias imitaciones seudoliterarias. Le vemos en una portada con regusto zorrillesco: *Traidor, inconfeso y mártir* (1, mayo). El 10 de abril es una Lady Macbeth. En 8 de mayo y 19 de noviembre, los ataques son excepcionalmente duros. El 9 de julio de 1905, la misma revista pública una *Canción de Maura el primavera,* parodia de *Juventud, divino tesoro.* 3 de mayo, 1908: El recuerdo de la sublevación madrileña contra Napoleón, entonces tan celebrada con desfiles, banderitas, gritería épica de circunstancias, Salón del Padro arriba y abajo, les sirve a los redactores de *Gedeón* para publicar *Los fusilamientos* de Goya, con la leve variante de ser Don Antonio Maura y La Cierva los soldados que disparan. El mismo día, la famosa oda de Bernardo López García aparece, vociferante: "Oigo, Maura, tu aflicción..." (Reconozcamos que, esta vez tiene un estimable ángel el parodiante). Y así infatigablemente, número tras número. Una de las frecuentes crisis se refleja el 25 de octubre: La portada nos presenta a Maura en la estación del ferrocarril, con sus maletas. La leyenda nos conduce a una fábula de Iriarte, *La ardilla y el caballo*: "Tantas idas / y venidas, / tantas vueltas / y revueltas...". Días después (8 de noviembre), y aprovechando la habitual aparición del Tenorio por esas alturas del año, Maura recibe un plato de manos de Francisco Cambó, el famoso diputado catalanista. En ese plato va una lengua, la catalana, y el pie nos ilustra paródicamente: "Anciano, la lengua ten..." En otra ocasión, Moret se dirige a la estatua de Maura (31, octubre, 1909): "Yo soy vuestro matador...". Y, para cerrar esta ya casi enojosa enumeración, citaré una nueva parodia, que recuerda las fotografías jocosas de las verbenas, donde sale la cabeza auténtica sobre unos telones disparatados: *La conversión del Duque de Gandía,* el cuadro de Moreno Carbonero, se titula *La Conversión de Don Segis,* para representar la muerte del partido liberal. Moret y Montero Ríos se abrazan. Antonio Maura es el celebrante (27, febrero, 1910) [19].

Pero volvamos a este escándalo de nocherniegos en la redacción de un periódico. Ni siquiera eso es nuevo, literalmente hablando. Ya he recordado cómo Azorín ha colocado algunos cuentos de *Bohemia* (1897) en el ambiente de una redacción, con sus envidias, sus sueldos alicortos, su palabrería inagotable [20]. Pero es que también en el teatro salían situaciones análogas. Basta recordar *El gorro frigio,* de Félix Limendoux y Celso Lucio, con música de Manuel Nieto (Eslava, 17 octubre, 1888). Impresionante desfile de homúnculos que buscan el reclamo, la gloria, el pan de cada día, la vanidad de verse en unas letras impresas. Hombres y mujeres curiosean por la redacción, dan sus opiniones, pretenden matizar o cambiar el tono del periódico. Es decir, un poco lo que hace el coro modernista en *El popular:* lo de cada día, esta vez ceñido a la personal experiencia de Valle.

---

19 Un mes después, el 20 de marzo, aparece en *Gedeón* una caricatura de Valle Inclán: "Carlista, manco como el otro, no le sienta bien la boina".

20 *El amigo.* (*Ob. comp.*, I, págs. 308 y sigs.)

Se habla de literatura: Y se recuerda un cuento aparecido en *Los Orbes.* ¿Qué revista puede ser ésa? Recordemos que un kiosko de prensa está lleno de nombres que palpitan debajo de esa cartela: *Mundo Gráfico, Nuevo Mundo, Por esos mundos* (donde, por cierto, publicó Valle varias narraciones de importancia, no recogidas aún ni estudiadas [21]), *Alrededor del mundo.* Hay también *La esfera,* para matizar. Da muchas vueltas ese *Los Orbes.* Indudablemente hay un cuento famoso detrás de eso. Aquí Valle Inclán apunta aguzando su burla, y no daremos nunca con el original ansiado. Todas las pistas se pierden en regates difíciles, burlones. Pero la verdad se insinúa. Son muchos los periodistas de cierto renombre que pueden vanagloriarse de haber escrito cuentecillos premiados. A la memoria acude rápidamente José Nogales y sus famosas *Tres cosas del tío Juan,* premiado por un concurso de *El Liberal,* en 1900. Era poco menos que inesquivable la cita de este cuento, del que llegaron a hacerse ediciones especiales, incluso con motivo de las conmemoraciones cervantinas de 1916. Nogales, además, desempeñó puestos en periódicos andaluces, lo que nos conduce al recuerdo de Málaga, tan paladinamente expuesto en *Luces de bohemia.* También Díaz de Escobar, citado en el primer esperpento, y entre el fárrago palabrero de la redacción, escribió mucho, pero destaca de su personalidad la caudalosa cantidad de laureles literarios: más de doscientos premios. Y escribió, efectivamente, unos *Apuntes históricos sobre los juegos florales,* publicados en Málaga, en 1900, la fecha del premio de Nogales. Naturalmente, no es Nogales el Filiberto de *Luces de bohemia,* en el que, aparte de algunos rasgos que le cuadrarían, aparecen otros que hacen pensar en Mario Roso de Luna. Siempre este engaño, esta

21 Véase JACQUES FRESSARD, en *Cuadernos Hispanoamericanos,* julio-agosto, 1966, págs. 347 y sigs.

trampa felizmente conducida por Valle Inclán. Pero no e necesario el reconocimiento, ni el testimonio fidedigno. L importante, otra vez, es el ambiente que hace posible est dejadez, la ligereza, la frivolidad envolventes.

Otros muchos nombres podrían añadirse a estos citados Y, sin embargo, qué atenazante runruneo nos hace recae sobre el cuentecillo de José Nogales. Volvemos a pensar e él detrás de esta broma resucitada, que evoca años pasados no muy lejanos, sí, pero ya imprecisos por su escasa calidad Broma, pero con un trasfondo de desencantada amargura. E la mente de un escritor de cualidades excelsas, este cuenteci llo, traído y llevado, equivaldría a la imagen de la trampa de la ineficacia, estéril símbolo de la mediocridad. Y l cháchara de cafés, tertulias, saloncillos, etc., acabaría po hacer de ese cuento el emblema de la inepcia y, por qué no de la fatuidad nacional. Estas gentes que en la redacció de un periódico (E. VII) hablan de "un cuento", de uno "Juegos florales en Málaga", de "El Heraldo", etc. etc. n hacen, en *Luces de bohemia,* más que vestir de voz tras cendente lo que podemos leer en los periódicos del moment Valgan estos botones de muestra. ¿Elogios? Nada meno que Clarín elogió *Las tres cosas del tío Juan,* en un *Paliqu* de *Madrid cómico* (10, febrero, 1900). Y no olvidemo que la opinión de Clarín era muy respetada. ¿Voces e contra? Más de una. *Gedeón* (7, febrero, 1900) public *Las tres cosas del tío Paco,* "cuento de pelo en pecho, pre miado con quinientas pesetas". Y una nota añade: "Tam bién somos aquí liberales". (El concurso, ya queda dicho fue organizado por *El Liberal.)* Siete días después, leemos: "¡Es mucho cuento!". Se pasman de tanto y tanto habla de Nogales, al que dicen —y a su cuento— cosas clara y verdaderas: "Si el Sr. Nogales llega a escribir Fortunat y Jacinta...", etc., etc. En el mismo número del 14 de fe brero nos encontramos con esta parodia cervantina: "Llaneza y pelos, que toda afeitación es mala", acoplada a Canalejas y al Sr. Nogales. No sé si será verdad, o mero chisme de redacción, o ganas de complicar el asunto, ya de por sí desorbitado, pero en este mismo número se atribuye a Blasco Ibáñez este refrancillo: "De noche y premiados, todos los cuentos son pardos". Se insiste sobre el tema en la entrega de 21 de febrero: "Por un cuentecito / te dan un banquete; / ¡qué gran cruz y qué título pescas / si haces un sainete!". Esto dicho al lado de una seria arremetida contra Eugenio Sellés, del que se enumeran cargos y méritos, entre los que se destaca: "miembro del jurado de *El Liberal*". El mismo *Gedeón*, avanzado el año (21 agosto), recae sobre Nogales y su súbita gloria periodística: "...a quien ahora nos encontramos hasta en la sopa soltando sus crónicas que hacen buenas a las de doña Emilia". Etc., etc. ¿Nos puede extrañar que se recoja en la conversación, fugacísimamente, a Silvela, con ocasión de los Juegos florales ya citados, si *Gedeón* (15, mayo, 1901), nos le sirve en caricatura, y le llama "mantenedor sinalagmático de los Juegos Florales"? He aquí, redondeado una vez más, ese fluir de unos años, resurrección siempre penúltima, de un estilo vital.

Esta conversación sobre los méritos y hábitos literarios tiene su lejano precedente en una de las mantenidas en *El gorro frigio* por el poeta visitante en busca de crítica calurosa. Las noticias que allí se comentan en acentuado esguince, son las cosas de la actualidad. De la literatura se pasa a la política, a otras manifestaciones artísticas. No vale la pena pararse a comentar el discurso que se achaca al Marqués de Alhucemas. No se trata, probablemente, de un discurso concreto, pronunciado en una ocasión determinada y precisa, sino de un poner al aire la desnudez de los lugares comunes. Aún hoy la oratoria circunstancial está plagada de "escollos" y gritos parecidos, deliciosamente inoperantes. Es el tributo a las fórmulas de un estilo caduco, que debía de molestar mucho a Valle Inclán. En fin de cuentas, es mucho más amable la broma de Valle sobre el estilo literario del discurso, que otras que podríamos encontrar en textos coetáneos. Recordaré solamente una regocijada cita de Pérez de Ayala: El "carro del Estado... navega sobre un volcán", a la que el comentarista llama "frase feliz y estupenda de un elocuente parlamentario" [22]. Pero, y para dar por finalizado este alto en la redacción: ¿qué otra cosa es *El clamor*, la farsa estrenada en 1928 por P. Muñoz Seca y Azorín? Agua del mismo hontanar profundo, pero inmóvil en su pertinaz lamento.

Quizá sobrepasa el límite general de ambiente burlesco la cita del monarca. Se dice que el primer humorista de España es Alfonso XIII (en una rápida confrontación con Miguel de Unamuno), y se da como razón el encargo regio al Marqués de Alhucemas para que forme gobierno. Esto nos lleva a la real situación cronológica de las luchas sociales registradas en *Luces de bohemia*. Son evidentemente las huelgas del mismo año 1920, pero estrechamente entremezcladas con la difusa conciencia de unas luchas sociales y políticas que venían arrastrándose hacía muchos años. Sin embargo, a pesar de los recuerdos de las grandes luchas en Barcelona (quizá la Semana trágica de 1909), es el resultado de la huelga general de 1917 lo que acarrea esa afirmación sobre el humorismo regio. Don Manuel García Prieto fue Presidente del Consejo de Ministros en setiembre de 1917 (después de la huelga, que se desarrolló bajo la presidencia de Eduardo Dato) y de nuevo en noviembre de 1918, después del triunfo electoral del comité de huelga, con las con-

---

22 *Política y toros*, pág. 104.

secuencias que tal victoria acarreó. La ironía brota de lo ficticio de la solución, lo inestable de tal remedio —como los subsiguientes sucesos demostraron—. También ayuda a fechar la inmediatez con que Valle escribió todo el contenido político-social de su primer esperpento, la presencia de la Acción Ciudadana. La encuentro citada abiertamente en los periódicos a fines de 1919. Resultan jocosas las gratitudes oficiales a tan patriótica organización, que es utilizada en servicios auxiliares, porque, dicen los comunicados gubernativos, sus componentes no saben desempeñar el oficio de los huelguistas. Esta Acción Ciudadana, en la tertulia de *El popular*, es recordada exactamente y en carne viva en el asesinato de uno de sus afiliados, "pollo relativo. Sesenta años". Precisamente por esos días, en uno de tantos atentados callejeros, moría en Madrid un ingeniero, profesor de la Escuela de Minas [23]. Espanto, duelos, lamentaciones, declaraciones solemnísimas. Todo contribuye al recuerdo que, reducido a una simple interferencia, intenta asomarse en la cháchara de la tertulia.

La realidad cotidiana, desvalida, reducida al quehacer de la información periodística, está aquí. También es 1920 la muerte de Galdós, acaecida al empezar el año, y la de Joselito en la plaza de Talavera, en mayo [24]. Eco de información periodística es la noticia de que don Antonio Maura estuvo en

---

[23] Se llamaba Ramón Pérez Muñoz, de 50 años. Ocurrió el atentado el 9 de abril de 1920.

[24] Valle Inclán utiliza con frecuencia los nombres que pueden dar una actualización a su texto, que por otra parte, aparece anclado en zonas ilusorias, o dentro de una niebla de pasado entre remoto y soñado. El mismo papel que desempeña Galdós en *Luces de bohemia* (el escritor murió a principios del año 1920) corresponde a Don Eduardo Dato en *Los cuernos de Don Friolera*: "Por lo pronto, ya le han dado mulé a Dato" (E. VII). El presidente conservador fue asesinado en mayo de 1921. *Los cuernos* aparecieron en *La Pluma* entre abril y agosto del mismo año. Sería muy fácil espigar referencias de idéntico alcance.

la casa de los *Gallos* para dar el pésame, noticia que, con grandes honores, registraron todos los periódicos el 19 de mayo. Maura oyó incluso misa delante del cadáver, en la madrileña calle de Arrieta. (Un poco más tarde llegó el presidente del Consejo, D. Eduardo Dato, que se limitó a firmar y dejar tarjeta.) En una procesión de sombras, citadas como asistentes al entierro de Max Estrella (Bradomín, Rubén, Burell, Don Latino), la histórica visita de Maura a la familia del torero adquiere matices escarnecedores.

Una sonrisa de guasa cómplice acarrea el ofrecimiento de un periódico anunciando que trae una nota de Maura (E. X). Creo que será raro el día en que, no figurando Maura en el gobierno, no publique el viejo político una nota, una carta, una declaración cualquiera. Debía ser ya algo de lo que, por lo insistente, por la machaconería, nadie tomaba en serio. Probablemente otro lugar común conversacional. Esas notas hablan a veces muy directamente al estado de conciencia general que se acusa en los escritores del tiempo: el ansia de poder, la honestidad de los abogados políticos, consejos a sus disidentes o seguidores políticos (no sólo de Madrid, sino de otras ciudades), sobre sus obras sociales o sobre los límites de su colaboración con el gobierno. Unamuno llamó a Maura, en una importante conferencia del Ateneo, el "solitario preso en sus propias huestes". Realmente, la voz de Antonio Maura, dejándose oir día a día, era voz clamante en el desierto. Entre los días anteriores a la huelga de 1917 y el Directorio del General Primo de Rivera, esas notas se suceden monótonamente. Una caricatura (*Gedeón,* 2, julio, 1905) nos da nítida luz sobre las frecuentes cartas. La caricatura habla de la situación conservadora, "o, lo que es igual, ridícula". "Maura escribe una carta; Villaverde, otra; Romero Robledo no sabe a qué carta quedarse". El pregón de la vendedora encierra, pues, aparte del aire casi fotográfico de la esquina con viento y con frío, un eco más de esa España sin arranque para iniciar nuevos rumbos [25].

Aún podríamos percibir sucesivos ecos de la realidad por los huecos de la trama de *Luces de bohemia*. Una idéntica resonancia contristada tienen las alusiones rapidísimas a ciertos sucesos, disimulados por el buen humor madrileño. "En España podrá faltar el pan, pero el ingenio y el buen humor no se acaban" (E. VII) [26]. Así se disimulan las penalidades concretas, reiteradas y sin solución. Así se consuelan los españoles "del hambre y de los malos gobernantes, y de los malos cómicos, y de las malas comedias, y del servicio de tranvías, y del adoquinado" (E. VII). He repasado colecciones de periódicos entre 1917 y 1924. Y la queja por esas cualidades levemente rozadas en el diálogo de la redacción, son inacabables, pertinaces,

---

25 La visión de la sociedad que Valle Inclán tiene ha sido agudamente analizada por JOSÉ A. MARAVALL, en *La imagen de la sociedad arcaica en Valle Inclán*, *Revista de Occidente*, noviembre-diciembre, 1966, páginas 225 y sigs.

26 He aquí un trozo que revela cómo en Valle se reduce a punzada certera y penetrante lo que es "clima". Esta frasecilla ("... el ingenio y el buen humor no se acaban") trasciende en categoría artística, definitiva, un trozo de idéntico contenido, que, entre otros, extraigo de Prudencio Iglesias Hermida: "España es estupenda, caballeros.

Aquí, no sólo se le niega el dinero a un matemático, a un filósofo al inventor del submarino.

Aquí, en la tierra de la guitarra, se abandona a su suerte a un guitarrista genial que ha de enriquecerse en el extranjero.

Pero todo se le debe perdonar a nuestra tierra por la gracia que tiene, por la sombra con que hace las cosas.

¡Eso de que a las corridas de toros asista un cura, entre barreras, con la unción debajo de la capa!

Eso tiene la gracia del mundo.

Entre españoles, hasta la Muerte misma, cuando se lleva a alguien, va por el camino haciendo piruetas.

Pidamos a Dios que nunca falte la alegría, por lo menos, mientras no tengamos dinero" (*Gente extraña*, pág. 140).

en ocasiones trágicas. Las caricaturas se llenan de gracias crueles contra los dirigentes y las calamidades públicas. Son altamente grotescos y más valiosos que muchos cursos de literatura los comentarios sobre el teatro y los dramaturgos, y sobre los actores. En la memoria de todos andan páginas extraordinarias de grandes escritores sobre determinadas cualidades de María Guerrero, de Díaz de Mendoza, de Ricardo Calvo. Recordemos la punzada que, en la parodia de *Hamlet,* se dedica a los hermanos Quintero. Habrá que tener presente ya los juicios de Pérez de Ayala sobre el teatro poético en general (¡aquellas líneas de *Troteras y danzaderas,* donde Villaespesa disfruta tan increíble vapuleo!). "Y del servicio de tranvías"... Las esquinas madrileñas, esas esquinas de la Navidad con niebla, se agolpan en las esperas, ya entonces estrenando tradición. Abundan los motines populares en los barrios extremos, que se acaban con el incendio del tranvía (nuestros abuelos eran bastante más irascibles que nosotros). Precisamente el 30 de junio de 1920, cinco coches son quemados por la multitud exasperada, al final de Diego de León. Un escándalo atroz se provoca en el Ayuntamiento con tal motivo. Y no recojo más que este caso, el más cercano a la publicación de nuestro libro. Pero, antes los accidentes se han sucedido de manera abrumadora, trágicos, dolorosos. *Gedeón,* 4 de septiembre, 1902, se ocupa de los tranvías: "Ahora estamos todos indignadísimos con las muertes, asolamientos, fieros males producidos por el cangrejo o tranvía del género ínfimo, que tiene la comodidad de despanzurrarnos a mansalva. Pero pronto se nos pasará la indignación, y hasta diremos que el tranvía ése, *presta excelentes servicios y tal*". En mi rebusca por los periódicos del tiempo, raro es el mes en que no hay alusiones a las calamidades de los tranvías (accidentes, atropellos, mal servicio, etc.; algunas de evidente nivel catastrófico). "...y del adoquinado". También debía ser, casi como lo es hoy, motivo de charloteo permanente el inacabable tejer y destejer de las obras municipales. *Gedeón*, en 1 de mayo de 1911, dice hablando de un visitante de Madrid: "Montó, por fin, en el desvencijado vehículo, advirtiendo al automedonte que le llevara por calles sin zanjas, mendigos y pianos de manubrios, pero el simón, poniéndose fosco, le contestó: ¡Pues diga usted de una vez que no quiere ir a ninguna parte! ¿Dónde vamos a encontrar en Madrid calles como la que usted desea?" [27].

El aire de periódico, de almacén de noticias observadas en escorzo, desde un ángulo en el que se agudiza la ladera desagradable de los sucesos, se comprueba al considerar las variantes entre las dos redacciones. Toda la escena de la cárcel, diálogo entre Max Estrella y el obrero catalán, falta en la redacción primera. (Véase más adelante págs. 166 y siguientes.) Es la presencia, en 1924, de todo el proceso para la represión del terrorismo en Cataluña, larga guerra oscura que ensombreció cruelmente la vida española. De ahí las citas de Rusia, o la muerte del prisionero que pretende huir. Concentradas en pocas líneas, actualizadas o literatizadas, las luchas sociales de Cataluña aparecen en un período cronológico largo, que, ya meditado al ser escrito como añadido, afila los elementos de disimulo. En realidad, el período reflejado en esas cortas páginas va desde las guerras coloniales en Cuba hasta el momento preciso en que se escribe. Más viva es la actualización en un pequeño detalle que corre el peligro de pasar desapercibido. Véamosle con cuidado.

En ese quebrantamiento absoluto del tiempo lineal que supone *Luces de bohemia*, hay siempre datos, índices para

[27] *Gedeón* aparece lleno, en 1911, de burlas sobre el pésimo estado del suelo madrileño. Tales burlas, no muy finas, prosiguen en 1912.

establecer una referencia a la segura cercanía que pesa sobre sus páginas. Exigencia del momento, casi. Un buen ejemplo puede ser, en nuestro esperpento, el recuerdo de la muerte de Galdós (o la de Joselito *el Gallo*). Estamos en la escena IV (III en 1920). El coro de poetas modernistas habla de proponer la candidatura de Max Estrella para un sillón académico. Nada más natural que caer sobre la vacante recién producida:

> DORIO DE GADEX. Precisamente ahora está vacante el sillón de Don Benito el Garbancero.

A lo que Max contesta (redacción de 1920):

> MAX. Se lo darán a Don Torcuato el Aceitero.

Don Benito Pérez Galdós había muerto el 4 de enero de 1920. *Luces de bohemia* comenzó a aparecer en *España* a fines de julio del mismo año. Es muy posible que esa escena (de las primeras) se escribiese algo antes, es decir, que no se fuese escribiendo poco a poco y para cumplir la premura de la revista, sino que ya estuviese todo el original, o casi todo, dispuesto al ser enviado a la imprenta. Es decir, con toda seguridad, esa escena fue escrita estando todavía en el aire el eco de los funerales que se dedicaron al ilustre novelista.

La candidatura propuesta no deja lugar a dudas. Se trata de Don Torcuato Luca de Tena, el fundador de *ABC* y *Blanco y Negro,* periódico este último para el que Valle Inclán no ha escatimado las ironías. La figura del famosísimo periodista sevillano aparece aquí en la cumbre de su fama, después de haber conseguido *ABC* el prestigio que le otorgaron sus campañas durante la Primera Guerra Mundial, sus afanes de todo tipo, incluso políticos. ¿Qué razones podían empujar a Valle Inclán a proponer este nombre para el sillón académico?

Seguramente, la razón última, por mucho que nosotros lo supongamos, quedará unida a esa zona imprecisa de los caprichos y las estimaciones personales. Rivalidades, rencores, desprecio de grupo hostil, quién podría hoy afirmar nada. Queda el brillo externo, empeñosamente mantenido por *ABC*, de su trayectoria monárquica, pero, ¿y Valle Inclán? ¿No le parecerían a Valle poco eficaces, poco nobles quizá, las preocupaciones dinásticas del periódico y de su propietario? Reconozcamos que, por lo menos, estaba en su derecho. Si intentamos mirar el envés de las cosas, ese pequeño envés que no pasa a la historia, nos encontramos con noticias sorprendentes. Precisamente por los días de 1920 que vemos apretarse en los datos dispersos de Valle Inclán, parece que Torcuato Luca de Tena *renunció* voluntariamente a ser ministro de la Corona, y prefirió su dedicación periodística al brillo de una cartera. Pues bien, en el número de *España* anterior al de su propuesta para suceder a Galdós (28 de agosto), leemos una larga divagación (broma?, ¿seriedad?, ¿mera exhibición de rídiculo y vanidad?) sobre Torcuato Luca de Tena, de la que deducimos que la renuncia del periodista a la cartera ministerial era un aspecto más de la propaganda y el afán de notoriedad, dirigido por el propio interesado. Probablemente una manifestación enemiga más entre las numerosas que *ABC* recibe desde las páginas de *España*[28]. Y aún podríamos citar que

[28] En 24 de julio de ese año, la sección *Panorama grotesco* se burla de la fundación del premio Mariano de Cavia, y de su fundador, Torcuato Luca de Tena; en 14 de agosto, leemos: "Ya se sabe. Cuando alguien quiera el éxito, pida a Dios que haga enemigo suyo al *ABC*". El *Panorama grotesco* de este mismo número alude a la política de "acaparamiento del

Torcuato Luca de Tena era también dueño de *Gedeón*, la popularísima revista satírica, en la que Valle Inclán ha sido puesto alguna vez en la picota [29].

Todo parece responder, en la cita de Torcuato Luca de Tena, a ese tratamiento literario-hamponesco en que se mueve la escena (burlas de la Real Academia Española, de Ibsen, de Galdós, de Rafael el Gallo, poesías grotescas, ridícula erudición de comisaría y de taberna, etc., etc.).

Pues bien: la candidatura de Torcuato Luca de Tena, para suceder a Galdós, ha sido sustituida por otra muy diferente en la redacción de 1924:

> DORIO DE GADEX. Precisamente ahora está vacante el sillón de Don Benito el Garbancero.
> MAX. Nombrarán al Sargento Basallo.

He aquí uno de esos nombres que ya no dirá nada a un lector actual. Una de esas tolvaneras de sueño que van haciendo cada día más difícil la interpretación del libro. Y sin embargo, el sargento Basallo llenó la atención de España durante varios meses. Mis primeras noticias del sar-

---

aceite" asociándola a *ABC*. El sobrenombre que se aplica al periodista famoso, en *Luces de bohemia* ("el Aceitero"), parece ir dirigido a este complejo estado circunstancial (derivación de las incomodidades y privaciones de la posguerra), y también a la resonancia del apellido en la industria aceitera sevillana. La forma de hacerlo evoca la burla de tertulia cafeteril, entre despectiva, ingeniosa y plagada de vagos rencores.

[29] 3, marzo, 1903, con motivo de *Corte de amor*. Hay una fuerte censura de Valle, al que se aconseja que se corte las melenas por dentro y por fuera y se deje de princesas rubias, etc. La nota no pasa de ser irónica. Pero, más adelante (10, abril), hay otra larga, fría, atacadora, en la que se menciona incluso la colaboración de Valle con Arniches (probablemente): "...lástima [que Valle Inclán] se vea precisado a firmar folletines de esos de a real la entrega y a que su nombre figure en las esquinas, al pie de unos cuantos cromos terroríficos". En 20 de marzo de 1910, *Gedeón* publica una caricatura de Valle Inclán, en lugar destacado: Carlista, manco como el otro, "no le sienta bien la boina".

gento cordobés Francisco Basallo Becerra aparecen en octubre de 1922. Es un prisionero de guerra en tierras africanas, consecuencia del desastre de 1921. El sargento Basallo practicó la caridad y el auxilio bondadoso entre sus colegas de cautiverio. Les ayuda, les cuida en sus enfermedades, comparte con ellos de mil modos los socorros que llegan de la península, ha aprendido a poner inyecciones, etcétera. Se va construyendo a su alrededor un halo de ángel guardián. Vuelve a España en el rescate colectivo de 1923. Todos los periódicos nos dan la imagen de Francisco Basallo de todas las formas imaginables, la de sus familiares, la de las fuerzas vivas agolpadas en su recibimiento triunfal en numerosas ciudades. Ahora vamos sabiendo en qué consistió su cautiverio. La aureola de heroísmo ha ido creciendo extraordinariamente. Ha estado encadenado con el general Navarro, con unas argollas que tenían púas y, por lo tanto, no les dejaban apenas moverse. Basallo ha sido utilizado para el reconocimiento de los cadáveres abandonados en el campo de batalla. Un intento de evasión hace que los cronistas caigan —¡inevitable!— en la comparación con Cervantes. Trae multitud de documentos y de encargos hechos por los muertos en sus últimos instantes. En unos casos, irá a devolver un reloj a una viuda, un recuerdo a una novia que ya no se casará; otras veces, irá a trasmitir una última voluntad a unos familiares quizá mal avenidos. En fin, los perfiles de la leyenda comienzan a levantarse en torno al sargento cordobés, aureolado de banquetes, recibimientos apoteósicos, ofrecimientos de puestos de trabajo en la península, practicante honorario con puesto primero en el escalafón de los practicantes militares, celador del Banco de España en Madrid o empleado de un asilo en Córdoba, petición de medallas... Se decide la impresión de unas hojas con su retrato y biografía rápida, escrita por

Rafael Blanco Belmonte, para ser repartidas a los niños de las escuelas, a fin de que tengan digno ejemplo que seguir. Un delirio arrollador, que llegaba con retraso. Visitas en Madrid a los ministros, declaraciones innúmeras, audiencia con los Reyes y luego... Silencio total. Pierdo su rastro a partir de septiembre de 1923. He aquí al personaje que Valle Inclán propone para suceder, en la Real Academia Española, a don Benito Pérez Galdós. Cuando esto se escribe, ya estaba cubierto el hueco dejado por nuestro gran novelista: le había sucedido Leonardo Torres Quevedo. Ni siquiera en 1924 podía Valle refunfuñar por el comportamiento académico: es el año de la entrada de Azorín para suceder a Navarro Reverter.

Francisco Basallo Becerra escribió unas *Memorias del cautiverio (julio 1921 a enero 1923)*, Madrid, Mundo Latino, s. a., en las que contó, con bastante concisión, sus aventuras entre rifeños. Sería muy de desear que Francisco Basallo, aún vivo y en plenitud de facultades, rehiciera sus memorias, añadiendo los numerosos y valiosísimos datos que, sin duda, posee, y que, al ser contados con la lejanía precisa y con la serenidad de la experiencia, serían de un enorme interés, tanto histórico como literario. Para lo que a nosotros interesa hoy, diré solamente que Basallo visitó en Málaga, a su regreso a España, a Don Narciso Díaz de Escobar —y nótese la reiteración sobre algunos nombres: Díaz de Escobar se cita en la tertulia a que estamos asistiendo— ("...me muestra sus libros —una biblioteca enorme— y me regala dos volúmenes dedicados de sus poesías y cantares..."). También en la misma ciudad, en una de las numerosas fiestas a que asiste o se ve obligado a asistir, "Cándida Suárez lee los versos del inspirado poeta Don Carlos Valverde que van a continuación:

¡Salud, oh valiente, magnánimo y noble!
¡Salud, oh sublime Sargento Basallo!
....
....
La Patria española bendice tu nombre,
las madres te aclaman con júbilo santo,
y Málaga entera, cual tú generosa,
cual tú hospitalaria, te tiende los brazos.

Tu fama y la suya parecen hermanas,
tu sangre y su sangre de amor fermentaron...
¡Qué aquí los Basallos también son señores
y aquí los señores también son Basallos!
....
....
que nunca es posible que muera la Patria
que tiene por hijos tan buenos Basallos!"

(págs. 186-187).

(Realmente, no es muy difícil suponerse la cara de Ramón del Valle Inclán cuando leyera estos versos). El volumen de Basallo lleva, al final, un repertorio de notas, documentos, recortes de prensa, cartas, etc., excelente reflejo de la locura colectiva que envolvió su indudablemente generosa aventura [30].

Es decir, son los añadidos y las correcciones los que dan a *Luces de bohemia* el trasfondo político que hoy se destaca en tantos ensayos o trabajos dispersos sobre el esperpento. Valle Inclán ha ido haciéndose a sí mismo en el fluir del tiempo, ha ido depurando y exagerando a la vez ciertos ras-

[30] También puede verse el libro, anterior al de Basallo, con prólogo del Sargento, *Memorias del Sargento Basallo*, por ÁLVARO DE LA MERCED, Madrid, Pueyo, s. a. Quizá en este libro está la razón de que Basallo publicase el propio. El prólogo aparece fechado en abril de 1923.

gos que, al empezar a escribir *Luces de bohemia,* apenas estaban insinuados. Quiero dejarlo apuntado. Como ya vengo repitiendo, no seremos justos si inclinamos la balanza hacia un lado. La posible burla no es tal, sino una consideración dolida sobre la morada vital en que el hombre Valle Inclán se desenvolvía. No creo que le pudiese importar mucho a Valle Inclán la sucesión de Pérez Galdós en la Real Academia Española en unos momentos en que ya el hueco del novelista había sido cumplidamente llenado y él no podía ignorarlo. Le preocupaba, eso sí, el desajuste, la desproporción existente entre el hecho heroico (cuya buena fe y seguro riesgo no nos es lícito poner en duda) y la charlatanería con que se rodeó por los que vivieron aquellas horas desde la más acogedora comodidad.

Pero, ya que hemos tropezado con la Academia, hagamos un inciso más, necesario para iluminar el complejo telar del esperpento. Comencemos por recordar las durísimas palabras que se dedican a la Real Academia Española en *Luces de bohemia.* Y reconozcamos que quizá como nunca es tan visible al aire conservador, forzosamente conservador, que la institución tenía. Y no nos duelan prendas en reconocer que ha sido en esa época donde el peso político, exterior al quehacer literario e intelectual, ha sido más vigente, agobiante incluso. Y reconozcamos también que la vida universitaria que legó el siglo XIX no podía tampoco ofrecer grandes remedios para sustituir ese oropel. (Digamos aprisa el universal elogio con que se acoge la elección de Ramón Menéndez Pidal. Baste, como muestra, decir que es una de las pocas ocasiones en que *Gedeón* se olvida de su papel satírico: 23, octubre [1902). Sí, la Academia es maltratada desde muchos ángulos, y creo que debemos ver en esos ataques una manifestación del ansia nacional de mejora y superación, no siempre verlos *académicamente. Madrid cómico,* en su número de 30 de mayo, 1901, se encara violentamente con la Academia por haber elegido a J. José Herranz, Conde de Reparaz. 12, noviembre, 1910: el periódico censura a Mariano Catalina y detrás de él a toda la Corporación. *Madrid cómico* se cree en la necesidad de abrir una encuesta pública: "¿Cree usted que debe suprimirse la Real Academia Española?". En la mente de todos andan los juicios despectivos de Pío Baroja. Pero demos la vuelta al aire de la página y veamos algunas de las críticas de *Gedeón*. 20, octubre, 1898: Burlas por igual de toda una serie de candidatos. 21 de marzo de 1900: análoga burla sobre el "pudor" académico. El número correspondiente a 17 de abril de 1901, aludiendo a la reforma de los planes de enseñanza, propone un nuevo artículo, que se le ha olvidado al Ministro de Instrucción pública: "Art. 37: Para ingresar en la Academia Española, será necesario hacer un examen de lectura y escritura al dictado. Los actuales académicos señores Duque de Rivas, Casa Valencia, Catalina, Pidal (Don Alejandro y Don Luis), Padre Mir, Conmelerán, Silvela (Don Francisco Cur), Liniers, M. del Palacio, Viñaza, Cortázar, Villaverde, Dacarrete y Conde de Reparaz necesitarán verificar dicho examen y exponerse a la suspensión, si quieren seguir cobrando por estropear el idioma. Las quince plazas de académicos, que después de dicho examen queden vacantes, serán ocupadas por otros tantos individuos del servicio de limpiezas".

El periódico no se calma. 1902, 8 de enero. Se estrena el año con un nuevo asalto provocado por la elección de Cavestany. El 22 de ese mismo mes se reprocha a la Academia por la manera de convocar el premio Cortina para dramaturgos: "Ya estamos viendo cernerse el premio sobre la rizada cabeza del cursilón Cavestany, quien, por cierto, ha presentado su discurso de entrada a los diez días de ser admitido en la casa de los blasfemos. Si eso no es, como dicen ciertos jóvenes, *comerse el cocido antes de las doce*, que venga Jehová y lo vea". Meses más tarde, 16 de abril, leemos: "Quién había de suponer que el susodicho Reparaz ocupara nada menos que un sillón de la Academia, cuando a lo más que es acreedor es a ocupar una banqueta". A la observación sigue una casi inmediata noticia de los pocos méritos del académico y de quien le contesta en su recepción, Sr. Liniers. Las quejas y la ironía suben de tono en 1906 (número de 25 de noviembre), con motivo de la presidencia de Alejandro Pidal. El periódico reclama, muy en serio, ese puesto para Marcelino Menéndez Pelayo. Se ríen de Benot, de Sellés, de Maura. Y acaban proponiendo una zafia represión, definitivamente esperpéntica: "Señores, ¿quieren ustedes que rodeemos el edificio y dejemos allí una *guirnalda olorosa* como símbolo del respeto que la Academia nos merece?".

Don Alejandro Pidal, diciembre, 1907, contesta al discurso de recepción del Padre Coloma. Los articulistas de *Gedeón* comentan: "¡Qué mal escribe el presidente de la Real Academia Española!". Análogas burlas se repiten en 19 de junio de 1910, con motivo de la entrada de Leopoldo Cano, autor de "obras demoledoras". De tales burlas, no se libraban las demás Academias. Ya recojo más adelante lo que ocurrió con motivo de la entrada de Benlliure en la Academia de Bellas Artes de San Fernando. Y de la Academia de la Historia, *Gedeón* (4 de agosto de 1898) dice: "Anuncio. La Real Academia de la Historia saca a oposición una plaza de escribiente. ¿Entre los académicos?".

Algunos académicos son particularmente menospreciados en *Luces de bohemia*. Tal es el caso de Mariano de Cavia y de J. A. Cavestany. De Mariano de Cavia, ya quedan atrás recogidos los juicios de Pío Baroja (v. página 85), tan coincidentes con los de la pareja de guardias que conduce a Max Estrella a la prisión. (¡Los inevitables *guindillas* de tantos sainetes! Recordemos, como ejemplo a mano, *La pareja científica*, de Arniches, o la pareja de *La Verbena de la Paloma* o los agentes de *Agua, azucarillos y aguardiente*). Insiste sobre la afición de Cavia a la bebida Felipe Sassone, buen testigo de esos años, en sus memorias: "...recalaba la barca de mis navegaciones nocturnas en el café de Fornos, donde me hice de nuevos amigos importantes. Allí conocí a Don Mariano de Cavia [...]. No escribía en verso, al menos que yo sepa, Don Mariano; pero bebía como un poeta que hubiese aprendido su latín y su castellano en Horacio y en Berceo...". Sassone cuenta cómo Cavia llegó a obedecerle y respetarle y no bebía jamás delante de él. Y también recuerda cómo, en una ocasión, con mucho aguardiente dentro, "dando cabezadas, sacó unas cuartillas del bolsillo, pidió pluma y tinta, y redactó, *currente calamo*, una de sus primorosas crónicas para *El Imparcial*" [31]. ¿No es, de otra manera expresado, el comentario de los guardias (E. IV)?: "¡Ni que se llamase este curda Don Mariano de Cavia! ¡Ése sí que es cabeza! ¡Y cuanto más curda, mejor lo saca!".

Seguimos sin movernos de la redacción de *El popular*. (E. VII). Allí, entre el acerado bombardeo de chocarrerías, bromas, murmuraciones, juicios temerarios, se afirma que "Cavestany, el gran poeta, [es] un coplero". Dorio de Gadex le llama "profesor de guitarra por cifra". Los sarcasmos y ataques contra Cavestany son verdaderamente interminables y crueles en todo este período. Veamos el lado serio. Nada menos que Clarín, en los *Paliques* de *Madrid*

---

[31] FELIPE SASSONE, *La rueda de mi fortuna*, Madrid, 1958, págs. 306-307.

cómico (22 de diciembre, 1900) arremete contra Cavestany: "Pero, el Sr. Cavestany, ¿es siquiera bachiller?". "Cuando todos los madrileños no revientan de risa en las polieuctadas cursis de Cavestany, es que hay algo estúpido en Dinamarca". Días después, 5 de enero, 1901, Clarín insiste en otro *Palique*: "Pero lo mejor es hablar claro... y pedir la cabeza de Cavestany, así como suena. La cabeza lírico-dramática, por supuesto".

No es más suave Pérez de Ayala. De una obra de Cavestany, dice que está "profusamente" aderezada "de despropósitos que se revisten de variadas formas métricas, redondillas, quintillas, seguidillas y *morcillas*, que es como en la jerga de entre bastidores se llama al ripio o relleno" (*Las máscaras*, II, pág. 163) [32]. Pero, como ya estamos acos-

[32] El parecer de Pérez de Ayala sobre la Academia está explícito, por medio de manifiesta zumba, en el trozo siguiente: "Si bien la pauta o canon con que, antes de acogerlos, talla, mide y coteja la Academia a los académicos aspirantes permanece incógnita e inviolada para quienes vivimos extramuros de aquel sacro recinto, con todo, se me figura que, en punto a la admisión de los autores dramáticos, la Academia emplea dos criterios: uno remuneratorio y otro punitivo. Así como en otras actividades literarias no es raro que la Academia se incline por las medianías, en lo tocante a la dramaturgia no acepta sino los extremos; bien sea los autores excelentes, que todo el mundo admira y aplaude, bien los autores depravados y execrables (artísticamente hablando, claro está), que todo el mundo toma a chanza. En el primer caso, la investidura académica es un galardón. En el segundo caso, como quiera que a la Academia le incumbe velar por los fueros de la literatura patria, finge otorgar un honor al vitando dramaturgo, no sin antes haberle exigido juramento de que no volverá a escribir para el teatro, y, si por desdicha suya y de los demás, cediera a la tentación de reincidir, se le recaba la promesa solemne de que, cuando menos, no consentirá que su obra se represente en un escenario importante. Si esto es cierto, como presumo, yo, por mí y en delegación de no pocos deleitantes del teatro, me atrevo a suplicar a la Academia que no desdeñe al Señor Linares Rivas, el cual, a lo que se dice, presenta su candidatura para una vacante que ahora hay" (*Las máscaras*, II, pág. 161).

Linares Rivas fue elegido académico, en efecto, como Pérez de Ayala aconsejaba.

tumbrados, es en el terreno de la sátira grotesca, atmósfera más en consonancia con la del esperpento, donde encontramos abrumadores testimonios de la valoración del poeta Cavestany. 1902, 8 de enero. Acaba de ser elegido académico de la Española el poeta. Leemos en *Gedeón* de ese día: "¡Qué ocasión más propicia para que aprenda un poquito de sintaxis!". *Gedeón* ya no deja en paz al escritor. 18 de junio de 1902, y leemos: "En el tren correo de La Coruña, ha regresado a Madrid el Sr. Cavestany. A la ida fue en el mixto. Los ripios ocupaban tres furgones de cola". Por estos días vuelve de una campaña teatral en tierras de Hispanoamérica la compañía de María Guerrero: en su equipaje, entre otros fardos, figuran "ripios de Cavestany". 9 de julio de 1907: *Gedeón* sigue atacando, sin reposo: "El Sr. Cavestany, a más de ser un detestable dramaturgo y un poetastro ripioso, es un reaccionario terrible y antipático". Y basta ya de acumular ejemplos. Como siempre, la leve afirmación de Valle Inclán, dejada caer como al pasar, sin darse cuenta, resume, profundamente, una voz colectiva, repleta de difusos ecos.

Es aquí donde cabe la despectiva alusión al escultor Mariano Benlliure, hombre que compaginó su actividad artística con el desempeño de importantes cargos en la Administración, y en el que fácilmente puede verse otro símbolo de esa España adormecida. Es muy viva, directa, punzante, la opinión sobre Benlliure. El "¡*Santi, boniti, barati*!", con que es despachado en *Luces de bohemia*, repite el pregón de los vendedores de figurillas de escayola o de madera que pululaban por la España finisecular, muchos de ellos de origen italiano. Véase este testimonio del tiempo: "Pero, ¿qué turba de industriales es la que vemos así que la concurrencia llena los cafés? Ah, sí; ese hombre de blusa y chambergo es un italiano que lleva vaciados en yeso de bellísimas esculturas. Difunde el arte por poco dinero. No es ya el vendedor de *santi, boniti, barati* que conocimos en nuestra niñez; ha mejorado, ha crecido, y, arrinconando los Niños de la Bola pintados de almazarrón y los conejitos vivos que pudo vender a su llegada a España, lleva hoy reducciones en yeso de verdaderas obras artísticas, medallones en azufre con relieves de hombres célebres y otros objetos muy apreciables. Durante el día expone dichos objetos en las ventanas de algún edificio, y por las noches recorre los cafés" (M. OSORIO Y BERNARD, *Viaje crítico alrededor de la Puerta del Sol,* Madrid, 1882, capítulo V). A principios de siglo, —y ya sabemos cómo se arrastran estas pequeñas "modas" callejeras— se podía leer en *Gedeón* (11, junio, 1902): "En nombre de todos los constructores de ¡*Santi, boniti, barati*! de Madrid, no podemos menos de protestar contra las estatuas que se han descubierto días pasados". En los años en que sitúo a *Luces de bohemia,* aunque la figura del vendedor no existiese ya, sí podía quedar, en el Madrid de 1920, el pregón, que yo he alcanzado a oir en mis años de Instituto, y aún después [33].

El valor significativo del pregón, en el ambiente de *Luces de bohemia,* es de primera importancia: pensemos que los pregones eran utilizados como recurso cómico en las parodias (e incluso en el habla coloquial). En *Churro Bragas* se oye el pregón que aún puede percibirse hoy, media mañana arriba, por las calles de diversos barrios madrileños: "¡*Si hay algo, ropa vieja, que vender*!". La encrucijada sicológica que el pregón despierta es extraordinariamente

33 R. GÓMEZ DE LA SERNA, en *Pregones de ayer y de hoy* (*Elucidario de Madrid*), ha recordado también al vendedor de esculturas que ahora nos ocupa: "...el "santi, boniti, barati", cuyos santos solían ser algunos perros de yeso, o las cuatro partes del mundo, o cosa por el estilo".

viva y cotizable. Lo mismo ocurre con el grito de Valle Inclán al enjuiciar el arte de Benlliure. La depuración, el cambio brusco provocado por el escritor con el uso de una lengua diferente, lo percibimos muy bien si comparamos este juicio con el de quien no se propone más que una primaria expresión entre insulto personal y crítica despectiva: éste es el caso de Prudencio Iglesias Hermida: "Exceptuando a Julio Antonio, ¿qué escultor español sería capaz de hacer algo parecido a la grandiosa y armónica escultura del Dios de las aguas? ¿Benlliure, el merenguista?" (*Gente extraña*, pág. 135). De todos modos, y para lo que nos interesa, hay que destacar que tampoco se trata de un ataque rotundo, personal y agriamente revolucionario, de Valle contra Mariano Benlliure. Ya encuentro violentas diatribas contra el escultor oficial en *Madrid cómico* (10, septiembre, 1898), en artículo firmado por José de Cuéllar. Allí se le tacha de plagiario e intrigante, y se habla de padrinazgo político para su fama. Ese mismo año 1898, en el número de 25 de agosto, *Gedeón* se burla del artista, asociándole a los incapaces que podrían ser académicos...

En la cita de Valle Inclán hay, una vez más, el ahilamiento artístico de una opinión colectiva, generacional, que, esta vez, plasmó en pública protesta. Benlliure ingresó en la Real Academia de Bellas Artes en octubre de 1901. Su discurso comenzó con violentas arremetidas contra los impresionistas, a los que realmente insulta [34]. La reacción no se hizo esperar. La revista *Juventud*, a los pocos días (nú-

[34] Espiguemos algunas afirmaciones de Benlliure en su azacaneado discurso: "Al anarquismo artístico van derechamente los que se llaman *impresionistas*. El resultado de sus obras es el mismo resultado demoledor, caótico, que producen en la sociedad con sus actos destructores los partidarios de la anarquía, no teóricos, sino de acción"... "Propagandistas de un arte sin moral, sin ideales, sin la disciplina de una escuela, capaces son, por las diversas formas de su insania, de destruir, pero no de

meros de octubre y noviembre), replicó airadamente por boca de Manuel Machado. Hubo un manifiesto de protesta, en el que después de explicar en qué consistía su arte, firmaban gentes como Ignacio Zuloaga, Darío de Regoyos, Santiago Rusiñol, Pablo de Uranga, Miguel Utrillo, etc. (por enumerar los más recordados hoy). Azorín ha revivido la polémica, con su natural tersura, en *Madrid* (págs. 163-164). Después de escarbar en su memoria, Azorín llama la atención sobre la ausencia de Joaquín Sorolla entre los firmantes del manifiesto contra Benlliure, quizá por ser coterráneos. Aún se podría espigar con fruto en esta apreciación hacia el escultor, pero, como en los demás casos, no sería más que fatigosa prolijidad. La cita de Benlliure en *Luces de bohemia* explica, quizá como ninguna, cómo el libro es una portentosa radiografía de la sociedad contemporánea y de los años juveniles de Valle Inclán en particular.

Queda, pues, claro que Valle Inclán somete a una revisión el paisaje todo de la vida nacional. Ahí está la diferencia, la grave y fundamental diferencia con las críticas que se desenvolvían tras la carcajada de los sainetes y parodias del género chico. Todo queda depurado, ahilado, vestido súbitamente de una desencantada tristeza. Trascendido. De

---

edificar. Envidiar sin nobleza, atacar sin piedad cuanto ha sido grande en el arte: tal es su lema"... "El impresionismo es tétrico... El impresionismo es criminal... Quieren realizar el imposible, el absurdo de crear vida sin dar vida. Y sus amores con la belleza son estériles, porque ellos son impotentes"... "Es preciso acabar con esta raza de degenerados antes que ellos acaben con el arte..." Etc., etc. Verdaderamente, el tono del discurso, aparte de la ocasión solemne en que fue leído, revela un endiosamiento atroz, exponente de la megalomanía del mediocre recrecido, amén de una absoluta ignorancia de la realidad artística circundante. Lo cual no ha impedido la larga y subsiguiente actividad y predicamento del escultor en ciertos medios de la vida espñola. (Ver MARIANO BENLLIURE, *El anarquismo en el Arte,* Discurso de recepción en la Real Academia de Bellas Artes de San Fernando, 6 de octubre de 1901; contestación de José Esteban Lozano.)

ahí las afirmaciones sobre la caducidad o inconsistencia de muchas facetas nacionales. Se pone en solfa no sólo la política, sino otras muchas manifestaciones de la convivencia. Adquiere valor repentino el elogio de la ciencia alemana en boca de Basilio Soulinake (E. XIII) cuando vemos que también por esos días los intelectuales españoles (30 mayo-2 junio, 1919) firman un manifiesto pidiendo ayuda para los sabios alemanes, que, a consecuencia de la guerra europea, se ven impedidos en la prosecución de sus estudios [35]. Se percibe una alusión a la Institución Libre de Enseñanza en el diálogo entre el Ministro y su secretario (E. VIII). Surgen en las conversaciones algunos hombres de la vida pública que despiertan en el lector todo un caudal subterráneo de murmuraciones y de acusaciones, de universal reprobación o sospecha. Flotan en citas momentáneas nombres de la vida literaria que ya están pasados, también envejecidos. Es el caso de Villaespesa y sus efímeras publicaciones (E. IX). Ya he citado atrás, por otras razones, las apariciones de Villaespesa en *Troteras y danzaderas*, de Pérez de Ayala. También Eduardo Zamacois, en su *Un hombre que se va*, nos trasmite rasgos análogos sobre el mismo escritor. Incluso Cansinos Assens (*La nueva literatura*, II, pág. 172) nos evoca esta figura, que debió ser muy familiar en los medios literarios y quizá tomada en dimensión no muy grave. La gran pelea entre los partidarios de los diferentes toreros

---

[35] Complemento de *Luces de bohemia*, y excelente contraste en lo que a la vida alemana se refiere, es el esperpento breve (no recogido nunca en libro) *¿Para cuándo son las reclamaciones diplomáticas?*, publicado en *España*, julio, 1922. Puede verse ahora, editado con su habitual habilidad por José Manuel Blecua, en *Cuadernos hispanoamericanos*, julio-agosto, 1966, págs. 521 y sigs. La atmósfera periodística es aún más visible en esta corta y mordaz piececilla. Los motivos paródicos o grotescos, idénticos a los de *Luces de bohemia*, aparecen más directamente expresados —conversacionalmente, diríamos.

se asoma también como un diálogo más de tertulia, de café o de redacción [36]. Así funciona la cita de "las espantás" de Rafael el Gallo, tan fácilmente armonizable con textos de otros escritores, especialmente de Eugenio Noel (E. última) [37]. Relámpagos, ramalazos de repentina claridad llenan *Luces de bohemia*. En otros escritores podríamos perseguir con largas líneas y sosegadas meditaciones, las mismas presencias que Valle Inclán desliza en este libro extraordinario como al pasar, escapándose irónicamente por la comisura de los labios, y son, sin embargo, la elevación a criatura artística de estimaciones colectivas, de puntos de

---

36 La discusión se centraba, en esencia, entre los partidarios de Joselito *el Gallo* y los de Juan Belmonte, *Juanito Terremoto*. EUGENIO NOEL recoge pintorescas manifestaciones de esta rivalidad en *Señoritos chulos...*, passim. Allí se pueden ver las oraciones del culto taurino, dedicadas a los diestros. ("Creo en Belmonte todopoderoso, creador del molinete y de la media verónica..."; "Alabado seas, Joselito, amo y elegancia del toreo... Sé siempre hermano del calvo divino, para honra de la fiesta y martirio de los belmontistas. Amén".)

37 "¡Deje usted las espantás para el calvorota!" (E. última). He ahí la cortísima, y, sin embargo, vigorosa, presentación de la costumbre de Rafael *el Gallo*, torero famosísimo, que, presa de un pavor irrefrenable, abandonaba muchas veces el ruedo sin terminar la lidia, e iba a parar, naturalmente, a la comisaría de turno. Sobre el alcance y ocasiones de las *espantás* puede verse J. M.ª DE COSSÍO, *Los toros*, III, págs. 384 y 388. Estas "espantás" convivían con tardes gloriosas, como era de esperar. En los periódicos de abril-mayo, 1917, encuentro la descripción de escandalosísimas huidas del torero, con pelea, apedreamiento, bastonazos, agresiones graves, etcétera, que el cronista lamenta mucho "por haber ocurrido en presencia de la Familia Real". En mayo de ese año se celebra un juicio entre un señor Marcos Mascarate y *el Gallo*, por agresiones, relacionadas con las últimas espantás (se escribe así sin anotación o aclaración alguna, lo que prueba la normal circulación de la palabra en esa forma) en la plaza de Madrid. El *Gallo*, en su declaración, emplea expresiones como *aluego, tarde esgrasiá*, etc.

Lo de *calvorota* también era léxico corriente. Rafael Gómez, *el Gallo*, estaba calvo ya en sus días de gloria taurina.

EUGENIO NOEL recuerda hechos del *Gallo* en *Señoritos chulos...*, páginas 54-64.

vista de toda una humanidad que juega, mal que bien, su baza en el tablero de España. Como ejemplo de estos destellos, reducidos casi a una mirada cómplice, a un estar sabiendo de qué hablamos, citaré solamente dos. Uno de políticos, otro de artistas. El de políticos nos lo proporciona el Conde de Romanones, recordado por su fortuna. Ya he citado atrás una nota de Maura sobre el comportamiento de los abogados-políticos. Si añadimos a esto las numerosas caricaturas de los periódicos alusivas a las apetencias de mando por parte de muchos dirigentes, moneda corriente en esas fechas, tenemos ya el clima popular que alimenta tales afirmaciones. Desde el mundo literario, unas palabras de Pío Baroja (*Tres generaciones, o. c.,* V, pág. 569) reiteran lo mismo. Todo un clima de protesta, de intranquilidad, se desliza en la veloz cita de *Luces de bohemia,* cuyo valor definitivo lo da el hecho de hacerse en una lengua cínica, desgarrada, de la calle más apartada y arrabalera: "¡Quién tuviera los miles de ese pirante!" (E. IV). *Gedeón,* en 1910 (15, mayo; 4, diciembre) dedica líneas y caricaturas a destacar la tacañería del Conde de Romanones. Y sobre con esta alusión para documentar, en el esperpento, la valoración de la ética política.

Veamos ahora el ejemplo referente a los artistas. A la vuelta de una página, nos tropezamos con Pastora Imperio. También al pasar, escapándose, sutil y cercana, por los repliegues de la conversación. Pues bien, el nombre de la bailarina llena también las páginas de gentes que están preocupadas con su contorno. Las dotes artísticas de Pastora fascinaban, sin duda alguna. (Para Pastora se escribió *El amor brujo.*) Pero releamos lo que un escritor agudo, y nada sospechoso de flamenquismo, Pérez de Ayala, decía de Pastora Imperio: "Recuerdo la Pastora Imperio de hace quince años, primera vez que la vi. Bailaba en un teatrucho que había a la entrada de la calle de Alcalá... Y salió Pastora Imperio. Era entonces una mocita, casi una niña, cenceña y nerviosa. Salía vestida de rojo; traje, pantaloncillos, medias y zapatos. En el pelo, flores rojas. Una llamarada. Rompió a bailar... Todo era furor y vértigo; pero, al propio tiempo, todo era acompasado y medido. Y había en el centro de aquella vorágine de movimiento un a modo de eje estático, apoyado en dos puntos de fascinación, en dos piedras preciosas, en dos enormes y encendidas esmeraldas: los ojos de la bailarina. Los ojos verdes captaban y fijaban la mirada del espectador. Entre niebla y mareo, como en éxtasis báquico, daba vueltas el orbe en redor de los ojos verdes" [38]. El brillo de Pastora pasó, como tantas cosas. Queda ya el recuerdo que empieza a ser erudición incluso entre los que no conocimos el esplendor de su gracia, sino que ya la alcanzamos en el ejercicio de una sabiduría artística. Pero esos ojos quedarán ya brillando, permanentemente, en el charloteo de un personaje de *Luces de bohemia,* la Lunares:

MAX. ¿Eres pelinegra?
LA LUNARES. ¡Lo soy!
MAX. Hueles a nardos.
LA LUNARES. Porque los he vendido.
MAX. ¿Cómo tienes los ojos?
LA LUNARES. ¿No lo adivinas?
MAX. ¿Verdes?
LA LUNARES. Como la Pastora Imperio. Toda yo parezco una gitana (E. X).

---

[38] PÉREZ DE AYALA, *Las Máscaras,* II, págs. 164-165. Aún agregaré otra cita que demuestra (por doble camino) el prestigio de Pastora. Está en unos versos de Villaespesa: "... indolente, / sobre el verde diván arrellanado, / está Antonio Machado / que con su rictus grave, adusto y serio, / de padre mercenario, / devora en su diario / líricos ditirambos a la Imperio, / la gitana ideal, que, cuando avanza / agitando en el baile su melena / de tempestad, parece que en la escena / es el alma española la que danza" (*Cafés de Madrid, Maison Dorée, Obras,* II, pág. 888).

Hasta el corazón del ciego Max Estrella llega la luz de unos ojos verdes, rasgando la tiniebla, la desdichada tiniebla en que vive el desheredado, y a la que se acerca, como una brisa consoladora, el patrón de unos ojos de mujer que debían estar en la mente admirada de todo español de la calle.

Gente de la calle que vive y muere en la calle, y que habla el español de la calle. A borbotones, irrestañablemente, manan los sucesos de que se habla, los que preocupan, los que se temen, los que gustan. Es decir, un periódico. El periódico ideal, que cuenta lo que no dicen los periódicos, lo que se escapa entre líneas. Y al escaparse entre líneas, sale maltrecho, enganchado, roto en los obstáculos de la huida. Pero todo lo que hay ahí es vida, fluyente, denodadamente dura y espinosa, pero vida. No son tan fantoches los hombres que vemos en el esperpento, ni sus afanes ni su desvivirse. Hasta en torno al cadáver de Max Estrella (y es un detalle conmovedor) llega la vida escapándose por la llaga abierta, resistiéndose a desaparecer. Entre las noticias que tenemos del entierro, destaca, como era de esperar, la pobreza, el aire deslucido y ruin de la ceremonia [39]. Con

---

[39] Es verdaderamente fascinante ver el halo de coincidencias que acosa a nuestros personajes. Dentro del entierro contado por Valle Inclán, el lujo funeral y grasiento del cochero-lacayo destaca por su vana purpurina sobre el fondo de lamentos: "Aparece en el marco de la puerta el cochero de la carroza fúnebre: Narices de borracho, chisterón viejo con escarapela, casaca de luto raído, peluca de estopa y canillejas negras". Todo apolillado, quizá zurcido, reducido a una espectral pompa, este cónsul de la muerte es el que propone los remedios infalibles para comprobar la muerte del poeta (también recordados por Baroja). Pues bien, *ese cochero*, es decir, su ridícula figura, desempeña un papel análogo en un poemilla de Emilio Carrere, del que no he podido determinar la fecha: "En la puerta, el coche fúnebre, cual negro chafarrinón, y el auriga —alta chistera y mugriento casacón— lee la revista de toros, mientras sacan el fiambre" (*El hospital provincial*, *Antología*, pág. 251).

un escalofrío leemos en la acotación de Valle Inclán el único dolor posible: el de la herida de un clavo en la sien del muerto. Las mujeres lloran a Max, "ya tendido en la angostura de la caja, amortajado con una sábana, entre cuatro velas. Astillando una tabla, el brillo de un clavo aguza su punta sobre la sien inerme" (E. XIII). En algún trabajo, excelente por otra parte, quizá el primero que se ha hecho sobre el esperpento tomando la suficiente distancia, el de Antonio Risco, se analiza este detalle del clavo como un recurso de la crueldad típica del contraste [40]. Y sin embargo, el clavo existió así, como Valle Inclán lo retrata, y se incrustó no tanto en la sien del difunto como en el recuerdo asombrado del vivo Ramón del Valle Inclán, alma asomada al misterio, a las preguntas sobrecogedoras que el destino plantea. He aquí cómo lo cuenta otro testigo presencial, Eduardo Zamacois: "Murió Sawa 'en belleza', sin una contracción en el hermoso semblante, sin una frase torpe ni un gesto feo. Dentro del ataúd y a la luz de los cirios, parecía un mármol. Detalle escalofriante. Un clavo de la caja le había lastimado la sien y de la herida salió un hilillo de sangre, que cuajó en seguida. Ese clavo, sobre el que apoyaste la frente para dormir tu último sueño, ¡pobre hermano!..., es el símbolo cruel de tu historia triste" [41]. Le hirió y brotó sangre. ¿No tenemos derecho a pensar ahora que la afirmación de Soulinake, sosteniendo que Sawa no estaba muerto, no es pura fanfarria de muñecos, sino que seguramente alguien lo pensó en serio, y se echó de menos la presencia de una autoridad "completamente mundial" que lo aclarase? ¡Qué difícil resulta desentrañar esos plurales caminos que Valle acoge y recorre para destacar la eterna

---

40 ANTONIO RISCO, *La estética de Valle Inclán en los esperpentos y en "El ruedo ibérico"*, Madrid, Gredos, 1966, pág. 197.

41 *Un hombre que se va*, pág. 172.

inseguridad en que se mueven sus héroes! Pero de todas formas, la vida está ahí, en el sobrecogimiento de esa sangre última y perdida, deseosa de no sumirse en la tierra, vida que zarandea a los que pretenden disfrutarla o encauzarla, torbellino irresistible que nos convierte en fantasmas bajo su mandato y que, para leve consuelo, nos permite, de vez en cuando, creernos que somos nosotros el motor, el estímulo, y no su vano juego [42].

Todo, pues, aparece en ruina amenazadora, ruidosa. La realidad ordenada se ha sometido al desorden, al gran orden de las cosas dispersas y sin diana precisa. La España visible se deshace en un polvo de irritante purpurina. Lo importante es la voluntad tesonera, la decisión de estilo que impide la disipación total de esa nubecilla de polvo, amortiguadora de unos perfiles y acusadora de otros, la que hace que tal España, sometida a monumental edición crítica, se detenga en la pendiente del desmoronamiento, en rasgado tejido de escarnio y de compasión [43].

---

[42] El entierro de Alejandro Sawa ha sido contado también por Pío Baroja en *El árbol de la ciencia* (O. C., II, págs. 556-558). Fue señalada esta coincidencia temática por Ricardo Senabre, *Baroja y Valle Inclán en dos versiones de la muerte de Alejandro Sawa*, en *Despacho literario*, Zaragoza, 1960.

[43] Sobre la estructura y alcance de los esperpentos deben verse GUILLERMO DÍAZ PLAJA, *Las estéticas de Valle Inclán*, Madrid, Gredos, 1966; ANTONIO RISCO, *La estética de Valle Inclán en los esperpentos y en "El ruedo ibérico"*, Madrid, Gredos, 1966, y ANTONIO BUERO VALLEJO, *De rodillas, en pie, en el aire, Revista de occidente*, noviembre-diciembre, 1966, págs. 132 y sigs.

LA LENGUA, REFLEJO DE LA VIDA

La deformación idiomática es el gran brillo, el prodigio permanente del esperpento. Los personajes hablan desde ángulos que no son los acostumbrados en la lengua pulcra de todo el arte modernista, la lengua del Valle Inclán joven. Vamos a encontrarnos ahora la desaparición de aquel pausado y comedido hablar, sometido a innúmeras disciplinas, en el que se venían manifestando las vidas artísticas, exquisitas, de sus primeros personajes. Ahora, los héroes van a *hablar,* sencillamente. Un trasfondo de cierta manera, no usual ni muy frecuente, nos retratará la intimidad de estos personajes. ¿Cómo está el idioma en *Luces de bohemia*?

Debemos señalar primero los casos que, desde otro punto de mira, consideramos como literatización: son poso modernista. Gastadas las palabras a fuerza de uso, se han convertido en costumbre, en hábito o rictus lingüístico. Es el primero el "Padre y maestro mágico", empleado en las salutaciones. Dorio de Gadex debía ser particularmente aficionado a esta expresión, ya que, incluso en otros textos le oímos saludando así. En las Memorias de Eduardo Zamacois, tan alejadas de estas preocupaciones estilísticas, Dorio de Gadex se dirige a Valle Inclán con esas palabras. Se intuye que el repetirlas es una manera de retratarle, como la chalina o las greñas, o como su hablar ceceoso de gaditano, también recordado en *Luces de bohemia*. Esas palabras del *Responso* a Verlaine debían ser popularísimas entre el cotarro literario y bohemio. Nada menos que Mariano de Cavia recayó sobre ellas cuando tuvo que escribir algo con motivo de la muerte de Rubén Darío [1]. Los otros fragmentos modernistas que salen desparramados por el libro contribuyen a dar la impresión de gente que vive enajenada, esclava de su pequeña cultura, de su erudición en versos y desdichas. También en altibajos, fugaces esguinces, salen los módulos cultos del habla, lo que Rubén decía, refiriéndose a Sawa: "Estaba impregnado de literatura. Hablaba en libro" [2]. Así escuchamos su estar ciego "como Homero y como Belisario", cita de Víctor Hugo que Max gustaba de repetir (E. VIII). Vemos desde un nuevo escalón sus saludos (¡Mal Polonia recibe a un extranjero!, E. II); No conozco a esa dama (referido a una mujerzuela); Niño, huye veloz (E. III); El épico rugido del mar; Pico de oro — Crisóstomo; Señores guardias, ustedes me perdonarán que sea ciego (E. IV); Cesante de hombre libre y pájaro cantor (E. V); Barcelona es cara a mi corazón (E. VI); ¡Vivo olvidado! Tú has sido más vidente dejando las letras para hacernos felices gobernando!; Paco..., vengo a pedir un castigo para esa turba de miserables y un desagravio a la Diosa Minerva; He sido injustamente detenido, inquisitorialmente torturado; He sido detenido por la arbitrariedad de un legionario a quien pregunté ingenuo si sabía los cuatro dialectos griegos; Dispóngase usted a escribir largo, joven maestro (E. VIII); etc. Sería muy larga la lista. El clima se traspasa también a los demás personajes de vez en cuan-

[1] R. CANSINOS ASSENS, *La nueva literatura*, II, *Instantes líricos*, páginas 41-42.

[2] Prólogo a *Iluminaciones en la sombra*.

do: "¿Qué ruta consagramos?"; "Usted no sabe la pena que rebosa mi corazón", dice Don Latino. Él mismo añade, poco después: "¡El Genio brilla con luz propia!" (E. última). Dorio de Gadex dice: "¡Polvo eres y en polvo te convertirás!" (E. VII). Este *hablar en libro* se complementa con los rápidos giros de simulación, que se presentan con idéntica precipitación, tan sólo para desvirtuar inmediatamente su alcance, mezclándolo con rasgos del habla achulada y cínica [3].

Pero donde podemos apreciar más ceñidamente cómo el habla sirve para retratar con indelebles apuntes una personalidad, es en la aparición de Rubén Darío. Nos acercamos a la otra cara de la moneda. Si acabamos de ver a Alejandro Sawa en su habla de libro, recordada por Rubén, vamos a ver ahora a Rubén desde fuera, en su propio idioma, en lo que de él nos han contado sus contemporáneos. Con motivo de la muerte de Valle Inclán, Juan Ramón Jiménez publicó en *El Sol*, de Madrid, unas líneas llenas de sentido y de valía: *Ramón del Valle Inclán. Castillo de quema.* En esos artículos se evoca el Valle Inclán de principios de siglo. Juan Ramón recuerda su encuentro con varios escritores en Pidoux, Bebidas, Calle del Príncipe. Allí está Villaespesa, piloto de un Juan Ramón de diez y siete años. Un regusto esproncediano ilumina la descripción que del lugar hace Juan Ramón. Hay una *mesa de despintado pino,* una *luz melancólica.* Es un *Diablo mundo* con mucho más de diablo que de mundo. Oigamos el barullo colectivo de la reunión. Es un

3 Otras veces, el estilo lleno de prosapia libresca se repite en bocas incultas, esporádicamente, con lo que se acentúa el carácter ilusorio del trozo, la mueca desorbitada de lo totalmente fuera de lugar. Es el caso del estilo "veni, vidi, vici", empleado por el chico de la taberna: "Entró, miró, preguntó y se fue rebotada, torciendo la gaita". Es un ejemplo feliz de *grotesco,* según explico más adelante.

joven curioso quien nos habla, quizá un joven fascinado por la obra y la veteranía de algunos de los presentes: "...yo sólo me fijo en Rubén Darío, recién pelado, bigotito claro, saqué negro y negro sombrero de media copa, totalidad estropeada, soñolienta, perdida; Valle, melena larga untuosa, barba alambresca larga, quevedos gordos, pantalón blanco y negro a cuadros, levita café y sombrero humo de tubo, rozado, deslucido todo. Rubén Darío estalla sus galas diplomáticas brillosas; a Valle la gala opaca, funeral, sin destino, le sobra y le cuelga por todas partes. Rubén Darío, botarga, pasta, plasta, no dice más que 'admirable' y sonríe un poco linealmente, más con los ojillos mongoles que con la boca fruncida. Valle, liso, hueco, vertical, lee, sonríe abierto, habla, sonríe, grita, sonríe, aspaventea, sonríe, se levanta, sonríe, va y viene, tropieza, se enreda sin solución, sonríe, entra y sale. Salen. Los demás repiten 'admirable, admirable', con vario tono, relijioso, corriente, murmurado. 'Admirable' es la palabra alta de la época, 'imbécil' la baja. Con 'admirable' e 'imbécil' se hizo la crítica modernista. Rubén Darío, por ejemplo, 'admirable'; Echegaray, 'imbécil', por ejemplo". Muy larga quizá la cita. Pero qué inesperada, diáfana luz, nos abruma ahora al ver que Rubén Darío, en *Luces de bohemia,* se mueve, en gran parte en un café, bebiendo, lejano, ausente, forcejeando por "distinguir eses y cedas". Y el gran recurso de su diálogo es repetir copiosamente la palabreja alta de la época: "Admirable". Otro tanto pasa en la escena del cementerio. Entre el ir y venir chocarrero y plebeyo de los sepultureros, la tarde desangrándose, asistimos al entierro del modernismo a la vez que a los repetidos "admirables", ya sin sentido ante la gran verdad definitiva del silencio total. La última palabra que Rubén pronuncia en el camposanto es la misma que la primera que pronuncia en el café: "Admirable". Entre los cipreses funerales se ha quedado, acallado ya, un estilo literario campanudo, deslumbrante [4].

Vemos, en consecuencia, la aguda tarea, acusadamente dramática por añadidura, de retratarnos a un personaje por el rictus lingüístico que le caracteriza. En el caso de Rubén, era típicamente artístico. Veamos ahora otro referente a la lengua hablada.

La lengua puede servir, en un lugar preciso, para demostrar cómo la preocupación política de Valle Inclán ha ido creciendo, en su concepto del libro, con el tiempo. La escena XI, añadida por completo en la segunda redacción, nos abruma al darnos, pujante, consciente, una visión que en la primera apenas estaba insinuada. Las luchas sociales se han llevado al delirio en los años que separan las dos redacciones. El espectáculo del país, revelado por los periódicos del tiempo, es verdaderamente pavoroso. Valle Inclán agita el poso dolorido al hacer morir entre aquellos borrachos nocherniegos a un niño inocente. En varios aspectos, la escena es un anticipo de *Tirano Banderas,* la novela extraordinaria

---

[4] Ha resucitado, con ligeras variantes, el mismo ambiente, RAMÓN GÓMEZ DE LA SERNA, en *Retratos contemporáneos,* Buenos Aires, 1941, pág. 297. También caracteriza a Rubén con el ¡*admirable*! RICARDO BAROJA: "Otro señor, de alguna más edad, entra y, andando con cierto muelle balanceo característico de los nacidos en clima tropical, se dirige al grupo. Es corpulento, de cabeza gruesa. El cabello negro tiene tendencia ligera a arrollarse en pasa. Brazos cortos, manos y pies breves. Se sienta en lugar principal. Desde mi sitio, enfrente del recién llegado, le observo. En su tez aceitunada, apenas se entreabren los ojos pequeños, negrísimos, velados por esa vaga nostalgia que presta el sol ecuatorial a los hombres de raza negra. Sus ademanes son tardos; parece anquilosado bajo el chaleco y el chaqué que le oprimen el torso. Apenas habla, parece que tampoco escucha; pero cuando Palomero lanza, con su voz cavernosa, algún sarcasmo; cuando Benavente hace algún epigrama o Valle Inclán sentencia, el paralizado personaje murmura:

—¡Admirable! ¡Admirable!— y torna a su inmovilidad de Buda en éxtasis.

...es el poeta Rubén Darío" (*Gente del 98,* Barcelona, 1952, pág. 19).

que iba a aparecer inmediatamente en entregas de la revista *El estudiante* (en libro, en 1926). Un anticipo del chamaco de Zacarías el Cruzado nos surge en el niño muerto en la carga policíaca. Pero donde está el anuncio de la novela es en el lenguaje que emplean los "notables" del trozo: el tabernero ("El pueblo que roba en los establecimientos públicos donde se le abastece, es un pueblo sin ideales patrios"; "el comercio paga sus contribuciones"; etc.), el retirado ("Yo los he oído" [los toques de ordenanza]; "Mi palabra es sagrada"; "El principio de autoridad es inexorable"; etc.), y, en especial, el empeñista. Ya al oirle por primera vez ("Está con algún trastorno y no mide palabras") notamos que ese habla *no es de aquí*. Y nos lo confirma el único trozo expresivo que el empeñista dice: Al preguntarle por qué no bajó los cierres antes de que la manifestación se le viniese encima, contesta: "Me tomó el tumulto fuera de casa. Supongo que se acordará el pago de daños a la propiedad privada". ¿No estamos ya oyendo a Don Quintín Pereda, prestamista, orgulloso de su profesión? Ese *tomó*, en lugar del habitual *cogió*, baña el trozo de un difuso americanismo. Sensación que se redondea un tanto con el *acordar* por 'resolver, conceder', arcaísmo tan vivo en Hispanoamérica. Trozo añadido en la edición de 1924, a las puertas de *Tirano Banderas*, ya en preparación. El trabajo en marcha se le ha escapado a Valle Inclán por este repliegue de *Luces de bohemia* y nos hace un guiño de reconocimiento a la vuelta de la página [5]. Intenta tomar bulto, detrás de este castellano recompuesto, la figura de un indiano o de un emigrante que, al regresar, traslada al habla coloquial

[5] Sabemos que ya en este tiempo Valle trabajaba en la elaboración de *Tirano Banderas*. Lo demuestra una carta a Alfonso Reyes, fechada en noviembre de 1923. Hay, pues, una estrecha cercanía. (Véase E. SPERATTI, *La elaboración artística en Tirano Banderas*, pág. 147, donde figura la carta mencionada.)

un sutil reverbero impreciso de las tierras que recorrió. Si ponemos en relación su quehacer de usurero con lo que Max Estrella dice en la cárcel sobre los patronos en general y sobre las colonias españolas de América en particular, notaremos la férrea armonía interna del escritor al identificar esta figura y su idioma. Una vez más comprobamos que de "la baja sustancia de las palabras están hechas las acciones", como Valle afirmó en *La lámpara maravillosa.*

En el mismo artículo de Juan Ramón Jiménez que hemos recordado hace un instante, hay una aseveración muy esclarecedora. Juan Ramón y Valle Inclán, versos de Espronceda en el aire, van a parar, noche adentro, a la horchatería de Candelas, en la calle de Alcalá. Es el local donde, ante una botella de agua, Valle Inclán se queda extático contemplando una fotografía de la *Primavera,* de Botticelli, que publica la portada de *Alrededor del mundo.* Las camareras de la horchatería son amables, conocen a Valle, parroquiano asiduo: "Las camareras rodean alegres y francas a Valle, a su más joven amigo y a Botticelli. Tratan a Valle familiarmente con argot y roces". "Valle está allí como en su casa." Ramón Gómez de la Serna dice en una ocasión que en Valle "hay mucho *diñar* por *morir,* repetía *la diñaba* o *la diñó,* llamando *dátiles* a los *dedos* con una persistencia atroz" [6]. Recordemos otra vez más el testimonio de Pío Baroja, citado por otro motivo, donde se da, como costumbre de la juventud literaria, "hablar en cínico y en golfo". Si vamos atando cabos, sacamos de estos testimonios la consecuencia común de una tendencia a hablar de determinada manera. Las camareras tratan a Valle en argot, y, según podemos deducir de las palabras de Gómez de la Serna, él contestaba de idéntico modo. Ese modo, general entre artistas, escritores, bohemios, era, según Baroja, cínico y golfo.

6 R. Gómez de la Serna, *Retratos contemporáneos,* pág. 322.

Voz de la calle, achulada y maltrecha, voluntariosamente alejada de las normas, de la pulcritud. Pero esta lengua no era solamente de estos grupos noctámbulos y de sus ocasionales interlocutores en las tabernas y buñolerías o en la cárcel. Todo el país estaba atacado por ella, por la actitud espiritual o sociocultural que ese estadio de lengua representaba. Oigamos de nuevo a Gómez de la Serna: "La gran chulería de Valle era asombrosa, pero respondía a ella —sobre todo en los últimos tiempos de decadencia— desde el Presidente del Consejo liberal hasta el editor que no quería pagar a nadie" [7]. Agreguemos por nuestra cuenta las pinceladas que se escabullen entre los bandazos de *La lucha por la vida*, o los numerosos que manan las páginas de *Troteras y danzaderas*, o todo el panorama literario de Eugenio Noel, o el de tantos escritores madrileñistas o popularistas (Pedro de Répide, Emilio Carrere, Antonio Casero, López Silva, etcétera) y podremos ir viendo brotar ante nuestras manos un estado de lengua que, habiendo nacido en las lindes vulgares del género chico, ha ido extendiéndose, hasta querer representar una condición, lo madrileño, y se ha proyectado, estilísticamente, en tres direcciones distintas. Una, detenida en su ambiente más humano, más próximo, un ambiente en el que aún funcionan, en ocasiones rígidamente, los pudores, el sentido de las limitaciones y de su aspecto social. Éste es el caso de la tragedia grotesca de Carlos Arniches [8]. Otra trayectoria, la segunda, que se ha complacido

[7] R. GÓMEZ DE LA SERNA, *Retratos contemporáneos*, pág. 326. No nos resulta exagerada la afirmación de Gómez de la Serna, cuando leemos en *España (Notas sueltas*, 24, julio, 1920) idéntica acusación dirigida aún más arriba: a Alfonso XIII. Le critican su lenguaje de señorito madrileño, a base de "tirarse planchas", etc.

[8] Un acertado análisis de la tragedia grotesca y de su contenido y medios expresivos puede verse en MANFRED LENTZEN, *Carlos Arniches. Vom "género chico" zur "tragedia grotesca"*, Kölner romanistische Arbeiten, 35, Paris, Droz, 1966.

en la impericia, en la fácil deformación lingüística, el retruécano y el chiste superficiales, juego de palabras inmediato, del que no sale más que un ingenio muy a flor de piel y que habla de circunstancias vecinas: la astracanada de P. Muñoz Seca [9]. Y una tercera rama, la que nos interesa, la que seguirá interesándonos, la que ha logrado superación artística cuidadosamente elaborada y sopesada, llevada a todas las manifestaciones del conjunto social, es decir, trasformada en espacio humano y no en una provincia limitada: el esperpento. Valle Inclán ha sabido llevar ese habla a todas las esferas sociales, quitándole el vulgarismo voluntarioso del género chico, el sentimentalismo patético de la tragedia grotesca [10] y la facilidad a borde de labios de la astracanada. En sus raíces, las tres empalman con el antepasado modesto, el de las tres y las cuatro funciones diarias de Apolo, de Variedades, de Novedades, del Teatro de la Alhambra. Las colaboraciones con Granés ("que insultaba", como recordaba Pío Baroja) [11], con López Marín, la colaboración

---

9 Unos cuantos títulos de P. Muñoz Seca nos esclarecen cegadoramente lo que quiero decir: *El verdugo de Sevilla; Juanita Tenorio; El teniente alcalde de Zalamea; El sinvergüenza en Palacio; El parque de Sevilla;* etc. Este trivial procedimiento de insinuar un "algo" cargado de valores tras de un tosco disfraz, basado en una equivalencia acústico-intelectual es, todavía, el gran secreto del popularismo del cine de Cantinflas, por ejemplo.

10 Lo que digo no tiene nada que ver con la calidad teatral, dramática, de la tragedia grotesca. Son materias diferentes.

11 Baroja recuerda, ya queda dicho atrás, a Granés varias veces. Muy curiosa es la fidelidad de una cita en *Locuras de Carnaval* (O. C., VI, página 939): "...encontraba lapidaria la definición de Grilo, hecha por Salvador María Granés:

Es el señor de Grilo
poeta de algodón con vistas de hilo"

Efectivamente, así aparece retratado Fernández Grilo en el libro de Moscatel (seudónimo de Granés), *Calabazas y cabezas*, Madrid, 1880, página 171. Los versos sirven de pie a una caricatura del poeta.

(aunque distinta, colaboración) de Valle con Arniches [12], todo el convivir espinoso, contradictorio y hampón, desplegado en los saloncillos y cafés de fines del siglo XIX, ha ascendido aquí a su más alta luz, vertida sobre estas criaturas extrañas, vistas a través de una lágrima. Eterno peregrinar ya por las calles del Madrid austríaco, de la ruina de Max Estrella, esperando su muerte en cualquier quicio mal entornado. Sumemos ahora que en Valle Inclán tal idioma supone, además, un hallazgo *literario*, como reacción contra la lengua modernista, ya vieja, en la mayor parte de sus casos, antes de nacer. Lengua libresca, rehecha, falta de calor y vitalidad, que había de provocarle sin duda cansancio, monotonía, insatisfacción. El habla esperpéntica supone para Valle un "chapuzarse de pueblo", como clamaba Unamuno, el indudable guía de su generación. El pueblo está ahí, pueblo, no plebe, el que habla en el idioma fluctuante de todas las situaciones: el ministro, el poeta excelso y el mediocre, el aristócrata y el tabernero, el asilado político y la portera, la vendedora de loterías, pregón al viento en las aceras con lluvia, y el sereno, y el oficinista, y el obrero con preocupaciones políticas. Esto es lo que explica el largo repertorio de personajes del esperpento, tan multiforme y fugaz, e incluso la presencia de los animales caseros, perro, gato, loro, ratón. La ciudad variopinta y aparentemente sin sentido, que ya hemos dejado atrás, desconsoladora anonimia, a los pocos instantes de haber cruzado el portal.

¿Cuáles serían, según la terminología de Georges Matoré, las *palabras testigo*, para ambientar esta producción? Casi como era de esperar, la voz más importante del esper-

---

12 Véase D. García Sabell, *El gesto único de Don Ramón* (*En torno a una obra ignorada de Valle Inclán*), en *Ínsula*, julio-agosto, 1966. La noticia ya había sido recogida por M. Fernández Almagro, *ob. cit.*, pág. 64.

pento es *grotesco*. Arniches llamará a su teatro *tragedia grotesca*. Pérez de Ayala hará la primera meditación mesurada sobre lo *grotesco* de que tengo noticia en España [13]. Para Valle Inclán, España es una "deformación *grotesca* de la civilización europea", y la escena erótica en la verja del Botánico es una "parodia *grotesca* del Jardín de Armida". Para todos los autores y espectadores de las parodias líricas, aquello que escribían unos y veían otros era *grotesco*. Los redactores de la revista *España* agrupan bajo un *Panorama grotesco* todo cuanto les parece ridículo, inoperante, desmesurado, fanfarrioso. El propio Pío Baroja escribe unas *Tragedias grotescas*. He aquí una palabra vieja que consigue nueva vigencia en el cruce de los dos siglos y que puede llegar a representar una actitud innovadora en el arte. La palabreja es un italianismo en español. (También lo es en francés, donde se documenta antes que en español.) Su origen está en las excavaciones practicadas a mediados del siglo XV en Roma, en el viejo palacio de Tito. Allí aparecieron unas cuevas o grutas, en las que había una decoración que recibió el nombre de *grottesche*. Varios autores hablan muy pronto de las pinturas de las ruinas, llamándolas siempre de ese modo. Lo hacen Vasari, Benedetto Varchi, Rafael Borghini, e incluso Benvenuto Cellini. La palabra se extendió con su valor artístico por todo el ámbito plástico renacentista. Sus variantes españolas (*grutesco*, *grotisco*, *brutesco*) aparecen a lo largo de los siglos XVI y XVII con uso relativo a las artes plásticas. Así lo hacen el Padre Sigüenza, Lope de Rueda, Jusepe Martínez, Cascales, Pacheco, etc. Una de sus más viejas apariciones está en Francisco de Holanda, 1563, *De la pintura antigua*, excelente prueba del camino que la voz siguió para su aclimatación. Todavía en el

---

13 *Las máscaras*, II (*La señorita de Trevélez*), págs. 227 y sigs.

siglo XVIII, Forner la usa con su valor artístico, en un *romance* dirigido al Conde de Aranda. En todas estas autoridades destaca el valor plástico del grotesco, representación de algo que está mezclado: vegetales que se trasforman en animales, seres humanos que derivan hacia animales o formas vegetales, etc. Pequeños monstruos que llenan los espacios arquitectónicos renacentistas (fachadas, bóvedas, etcétera) de composiciones en las que se ha perdido la frontera entre los esquemas o agrupaciones de la naturaleza. De una flor puede salir un hombre o un ave, de un hombre puede salir otro animal: una decoración centáurica. De ahí estamos a un paso del valor 'monstruoso', y de aquí al de 'ridículo' más cerca todavía. El valor nuevo comienza a percibirse vagamente en algunos testimonios románticos (Larra, Espronceda), pero se agolpa ya a fines del siglo XIX. Aparece en Galdós, en Pereda, en Blasco Ibáñez, en Octavio Picón, en Alarcón. El valor 'ridículo' se va acentuando en escritores como Bretón de los Herreros y más tarde en Fernández Flórez o en Pérez de Ayala. (Bécquer lo empleó como 'algo que causa risa', contenido que también percibo en Pío Baroja.) Lo cierto es que, a principios de siglo, debía utilizarse mucho, y seguramente más en la conversación ordinaria, en las tertulias, críticos, escritores del montón, etcétera, que en la lengua escrita. Una prueba indirecta la tenemos en un escritor no allegable al "tropel de ruiseñores", Mariano de Cavia. El periodista famoso inventó la voz *grotesqueces*, que no pasó de sus artículos y en la que hemos de ver una solapada ironía contra la frecuencia usual de la voz. *Grotesco* debía de ser, en la conversación ordinaria, lo que el *admirable* rubeniano en la engolada y siempre un tanto alcohólica de su pontificado literario. ¿Qué había pasado para que en el ambiente modernista tal voz pudiera generalizarse?

Ha ocurrido, sin más, que es una voz rehabilitada por el gran impulso estetizante de Théophile Gautier. En su afán de convertir el diccionario en una paleta y de borrar las fronteras entre las artes (es decir, la gran lección del postromanticismo y del modernismo), Gautier vuelve por la valoración real, primitiva, física, del grotesco. Abundan sus testimonios que hablan, desde la conciencia de un pintor, por ejemplo, de esos seres sin límites precisos, mezcla de calabazas y animales, con narices poliédricas, etc. [14]. Para un ojo acostumbrado al Museo del Prado, como el de Valle, estas explicaciones plasmaban en rotunda evidencia. Simplemente bastaba con cambiar de sala. Si ante las *Sonatas*, hemos visto a Valle detenerse en las salas venecianas, hay ahora que llevarle ante el Bosco.

En la antepuerta romántica de Gautier está el Prefacio de *Cronwell*, de Víctor Hugo (1827), el idealizado mito de Sawa. Allí se ha meditado, quizá por vez primera literariamente, sobre el valor de lo grotesco. Pero son aún un tanto oscuras las conclusiones a que Hugo llega. Es para él, una palabra bifronte, que encierra lo monstruoso y horrible por un lado y lo cómico y burlesco por otro [15]. Es Gautier quien

[14] Véase GEORGES MATORÉ, *En marge de Th. Gautier. Notes lexicologiques, en Études romanes dédiées à Mario Roques par ses amis, collègues et élèves de France*, Paris, Droz, 1946, págs. 217-229.

[15] Comp. estas afirmaciones de Víctor Hugo: "Revenons, donc, et essayons de faire voir que c'est de la féconde union du type grotesque au type sublime, que naît le génie moderne, si complexe, si varié dans ses formes, si inépuisable dans ses créations". "Dans la pensée des modernes, au contraire, le grotesque a un rôle inmense. Il y est partout; d'une part, il crée le difforme et l'horrible; de l'autre, le comique et le bouffon. Il attache autour de la religion mille superstitions originales, autour de la poésie mille imaginations pittoresques. C'est lui qui sème à pleines mains dans l'air, dans l'eau, dans la terre, dans le feu, ces myriades d'êtres intermediaires que nous retrouvons tout vivants dans les traditions populaires" (*Cronwell*, Préface, 11a, 11b; cito por la edición de *Oeuvres de V. H.*, Bruxelles, 1842, tomo II).

maneja normalmente, en una lengua propia, lejos ya de toda lucubración teórica, lo *grotesco.* Tal situación, como tantas otras de la literatura francesa post-romántica, llegó a España a través de Rubén Darío, el por tantas razones "admirable": 1905, *Cantos de vida y esperanza,* la madurez rotunda, la cúspide del modernismo poético: "Ya al misterioso son del noble coro / calma el Centauro sus grotescas iras". He aquí entrelazado el valor nuevo, real, artístico-burlesco del rancio adjetivo, vuelto a poner en marcha con un impulso francés.

Y aún hay más caminos, esos misteriosos caminos que el modernismo transitó gozosamente, caminos llenos de *literatura.* El mismo Gautier había publicado en 1844 su *Grotesques.* Ahí nos encaramos con un desfile de escritores, de segunda fila casi siempre, olvidados o al margen de la ortodoxia literaria. Un prenuncio de *Los raros* rubenianos. En esos escritores, Gautier destaca la originalidad basándose en que eran dueños de una lengua a la que colma de adjetivos elogiosos, y que, a la vez, es "élégante, grotesque, se prêtant à tous les besoins, à tous les caprices de l'écrivain, aussi propre à rendre les allures hautaines et castilaines du Cid qu'à charbonner les murs des cabarets de chauds refrains de la goinfrerie" [16].

¡Con qué asombro, con qué sutil, luminosa complicidad leemos en Gautier que en esos escritores desdeñados existen valores indudables, originales, excelsos! Son los escritores que emplean la frase hecha, lo trivial, lo innoble y prohibido, el refrancillo o el proverbio populares, los aciertos del mal gusto, el gesto oportuno de un guiño de ojos. Son los que hacen sitio a las modas transitorias del hablar, a la jerga local de la semana. ¿Estaría *Grotesques* en la biblioteca de

---

[16] *Grotesques,* pág. 338, edic. 1859.

Jesús Muruais en la Pontevedra finisecular? ¿Por qué no pudo leerle Valle en cualquier otra ocasión, y hasta comprarle en su viaje a Francia como invitado a observar la guerra de cerca? ¿Es que Rubén no le habrá hablado de —¡cómo no!— un "admirable" libro de Théophile Gautier? Lo cierto es que Alejandro Sawa, Dorio de Gádex, Villaespesa, Gálvez, todo el mundillo literario que se nos escurre sutil y nos acongoja en cada lectura de *Luces de bohemia* tiene así una explicación clara, definida. He aquí el nexo entre una lengua que había venido haciéndose en todo el género chico, voz de la semana, transitorio goce de la broma y de lo ridículo, creación momentánea, plebeyez y finura trenzadas, a las que Valle dignifica desde su viejo modernismo literario, exquisito. Integración de un español fluyente, ya definitivamente desenvuelto en caudalosa poesía. El grutesco o grotesco, ya indisolublemente aliado a lo ridículo o vergonzante, se nos presenta domeñador absoluto en la lengua de *Luces de bohemia*. Cuando Casero dice: *C'haiga un cadáver más no importa al mundo,* el grutesco está intacto; como si dijéramos, no existe aún. El vulgarismo *c'haiga* equivale a una descarnadura en la decoración de las fachadas, a una de esas sucias, lamentables manchas que estropean la línea y el claroscuro de innumerables decoraciones españolas. Pero si oímos decir: "Que haya un cadáver más... sólo importa a la funeraria", ya tenemos logrado el grotesco artístico, a la vez que el reclamo burlesco, paródico. El comienzo es igual: es la base precisa. Y la continuación es el resolverse en una criatura de otro reino. Lo animal se hizo vegetal, o al contrario, y le salieron atributos de bestia a lo humano. Se dan estrechamente mezcladas, pero, sobre la visión concreta, plástica y primeriza, destaca la condición de ademán alarmado, desengaño, pena sin remedio. Cualquiera de las frecuentes mezclas de tono y esfera coloquiales de

Luces de bohemia es un grotesco artístico, como ya lo eran en el siglo XVI, matizado en 1900 por el contenido entremezclado del XIX, rubeniano, modernista.

La consecuencia es el desplazamiento, el colocar cosas y hombres fuera de su quicio ortodoxo, haciéndoles mudarse al reino del absurdo. Lo vivo se queda reducido al papel de un frío mecanismo inerte, donde la vida se presiente, torrente amenazador, detrás de una inmóvil máscara. Y un sentimiento de irrefrenable angustia es la sensación última, el amargo sabor de boca que deja la pesadilla nocturna de *Luces de bohemia* [17]. Cubriéndolo todo, la fidelidad de Valle Inclán a su inalienable condición de artista.

La palabra testigo, en este caso, es, como G. Matoré demuestra en sus estudios lexicográficos, un *neologismo de sentido*. Marca un cambio de dirección en las apreciaciones estéticas al uso (e incluso sociales). La *palabra testigo* va acompañada de otras *palabras clave,* también en este caso verdaderos neologismos, que acentúan el valor del campo nocional en que nos estamos moviendo [18]. Serían en nuestro caso, palabras como *pelele,* que ya analicé anteriormente, *fantoche,* y quizá la misma de *esperpento*. También podría incluirse, entre las *palabras clave, troglodita.* Don Latino llama al sereno "troglodita asturiano" (E. IV). La Pisabien, en la taberna, ante los dos bohemios, exclama: "¡Ya nos ajuntamos los tres tristes trogloditas!" (E. IV). En esa voz se adivina, muy claramente en ocasiones, el valor de 'reaccionario, cavernícola', con ceñida connotación

17 Véase WOLFGANG KAYSER, *Das groteske: seine Gestaltung in Malerei und Dichtung,* Oldenburg-Hamburg, 1957. Una aguda aplicación del estudio de Kayser a la novela esperpéntica se encuentra en MANUEL DURÁN, *Valle Inclán y el sentido de lo grotesco,* en *Papeles de Son Armadans,* octubre, 1966, págs. 117 y sigs.

18 GEORGES MATORÉ, *La méthode en lexicologie,* Paris, Didier, 1953, págs. 65 y sigs.

política. Otras, parece el símbolo de la brutalidad nacional, de la incultura y la despreocupación, etc. Así es el *troglodita* Petiforro, de que nos habla Pío Baroja en *Las horas solitarias* (O. C., V, pág. 272). En este mismo lugar, nos enteramos de que esa palabreja ha ocupado un gran lugar en la obra de Miguel de Unamuno: "Como Unamuno ha hecho un uso tan continuado de esta palabra, troglodita, apenas se atreve uno a emplearla, considerándola como propiedad del ex-rector salamanquino; pero como yo la he empleado antes de la guerra y a raíz de la guerra, creo que tengo algún derecho a seguir empleándola". Las revistas literarias aparecen por esos años, 1918, 1920, atestadas de *trogloditas*. Sería muy atrayente ir viendo cómo la vieja voz, con su sentido originario, 'habitante de cuevas', ha venido a convertirse, en el tiempo de nuestro esperpento, en otro neologismo de sentido. *Esperpento* pasa a ser un concepto retórico, cargado de un nuevo valor, insospechado tras el tradicional de 'cosa fea, desagradable, risible'. Es palabra usada en el sentido tradicional y directo, con relativa frecuencia, en la novela realista (*Miau, La de Bringas, Ángel Guerra, Juanita la Larga, Pequeñeces, Cuentos de Marineda*), pero adquiere circulación frecuente en Eugenio Noel (*Vidas de santos, Las siete cucas*) y en los libretistas (Miguel de Echegaray, Javier de Burgos, etc.). Como he señalado antes, nuevamente la voz de la calle remonta la crónica periodística con su inesquivable autenticidad y aparece en las *Notas de sobaquillo* de Mariano de Cavia. Qué lejos el esperpento citado y recordado en *Curro Vargas* ("Que salga ese esperpento, / que salga muy ufana, / y jaga en un momento / el salto de la rana", *Curro Vargas,* III, cuadro 2.° escena vi), por ejemplo, del que figura en *Luces de bohemia.* Nuevamente ese henchirse de sentido, de un sentido virginal, detrás del que ya vemos dibujarse el campo nocional de nuestro escritor. Contenido hermano del de otras facetas del mismo tiempo, como son el *disparate*, o la *greguería* ramonianos. Pero dentro de una consideración de diferente mirada (insisto: mirada artística) sobre la confusa realidad. Con *fantoche* pasa algo muy parecido. Su valor de 'muñeco' está muy claro en alguna cita anterior al formidable despliegue valleinclanesco. Por ejemplo, en *Insolación*, los "muñecos o fantoches" aparecen con la cabeza de Martos, Sagasta o Castelar (1889); es Javier de Burgos quien en *Las mujeres* los utiliza con el valor de 'fantasmón, bobo, desgraciado'. Para Valle Inclán había, nuevamente, la súbita valoración artística de la palabra por el modernismo más febril. Rubén Darío se había atrevido a hablar de *fantochesas*: "... ha denunciado a inicuos, a sinvergüenzas y mercaderes de patriotismo, falsos socialistas, aristocráticas fantochesas, cepilladores de moral y remendones de la virginidad literaria" (*Paul Adam* en *Los raros*). Otra vez el prestigio, la transformación de la voz en algo definitivo y exclusivista.

¿Podríamos hacer aquí un alto y volver a mirar el contorno, dedicarnos una vez más a la búsqueda, ya habitualmente fructífera, de algún otro *esperpento* en la tradición ambiental? Sí, hagámoslo, y toparemos enseguida con resultados positivos. También sospecho que Valle Inclán ha elevado a categoría universal "algo" que debía de correr de boca en boca, transitoria moda de la tertulia o del café, exponente de la murmuración en las esquinas y saloncillos. ¿No es intranquilizador que nos encontremos en *Gedeón*, 6 de marzo de 1901, un corto diálogo teatral, movidillo, de cruel sátira política, que se titula secamente *El esperpento*? Por lo menos, la fecha y el contenido nos llenan de cierto desasosiego. *El esperpento* es un "sainete de Gedeón con título de don Práxedes Mateo Sagasta, música de la

Pitita y algunos acordes intercalados del Himno de Riego... de agua turbia del Lozoya". En el tal sainete, que tiene como materia el desenvolvimiento de una laboriosa crisis ministerial, dialogan, en cuatro cuadros breves, Marcelo de Azcárraga, Silvela, Villaverde, Romero Robledo, Gamazo, Vega Armijo, etc., etc. Todo el declive de la política nacional, con sus camarillas y sus trapicheos, desfila *grotescamente* ante nosotros, sin disimulo alguno por la zafiedad y la dureza. Abundan las palabras —o palabros— cortadas por la mitad, encabalgamientos grotescos, como *pu... ñales, cara... jocosa,* etc.; se simulan, con léxico vivaz y directo, los "partos" del Sr. Azcárraga, y se habla de comunicados, notas, etc., escritos por los prohombres, pero, eso sí, con faltas de ortografía. ¿No nos parece ver aquí un intento de reducir a criatura artística, todavía borrosa y detenida en ademán, la realidad social-política circundante? Y estamos en 1901. Diálogos parecidos, sin esa claridad atenazante del título, se encuentran con cierta frecuencia.

¿Qué es, entonces, lo que Valle Inclán ha agregado a su ya inalienable *esperpento*? Simplemente, la realidad del dolor, de su sensibilidad en carne viva ante el desencanto y la pérdida de las ilusiones. En 1920, *España* se ocupó de *Divinas palabras*. Lo hizo, precisamente por los días anteriores, ligeramente anteriores, a la primera entrega de *Luces de bohemia* [19]. Escribió el artículo oportuno Alfonso Reyes. Y allí se habla, como si todos estuviésemos en el secreto, de la estética del esperpento, relacionándolo con la parodia. Hemos de suponer, en consecuencia, que Valle habló mucho de su nueva forma de escribir, o de ver el contorno como criatura literaria. En este artículo de Alfonso Reyes leemos cosas tan ilustrativas como éstas:

---

19 *España*, 10, julio, 1920.

> Hay veces —dice nuestro autor [es decir Valle]— en que la seriedad de la vida, en que la fatalidad, es superior al que la padece. Cuando el sujeto es un fantoche ridículo, el choque manifiesto entre su inferioridad y la nobleza del dolor que pesa sobre él, produce un género literario grotesco, al que Valle Inclán ha bautizado con un nombre harto expresivo: esperpento.
>
> Su última tragicomedia —*Divinas palabras*— está gobernada, hasta cierto punto, por la estética del esperpento. Por eso es tragicomedia. Y el esperpento resulta del choque entre la realidad del dolor y la actitud de parodia de los personajes que lo padecen. El dolor es una gran verdad, pero los héroes son unos farsantes.
>
> Sin embargo, es menester entenderlo con delicadeza. Los farsantes de Valle Inclán lo son sólo por un vago aroma de farsa. Todos, ante los sucesos que les afectan, no obran de un modo natural; pero tampoco de un modo groseramente artificial. El chalán, el ladrón de feria que roba con el perro sabio y con el canario que dice la suerte, la mujer que se muere de hambre, la que llora su muerte, la adúltera y el sacristán, todos obran de acuerdo con las tradiciones literarias del tema (tema culto o tema popular) que representan. [...] Las figuras de Valle Inclán no son abstracciones, y además, recuerdan los lugares retóricos del tema a que corresponden con tal levedad y finura, que sólo se percatan de la reminiscencia los que llegan al libro de Valle Inclán con veinte siglos de literatura en el alma...

Lugares retóricos, veinte siglos de literatura, superioridad del dolor sobre el hombre que le conlleva... He ahí rápidamente, la carga nueva, libresca y emocional conjuntamente, que la palabra *esperpento* adquiere en su uso nuevo por Don Ramón del Valle Inclán.

Volvamos ahora a nuestro camino interrumpido. Dentro de esa apreciación nueva del habla desgarrada y antiacadémica, del habla que, como Gautier decía, puede emplearse para pintarrajear en las paredes, es donde hemos de buscar ahora lo más representativo y valioso del esperpento. Inútil sería pararse en la vertiente culta de su habla, la que es "de libro", como decía Rubén. Por otra parte, el estilo preciosista y exquisito de las *Sonatas,* con sus modulaciones, su íntimo recitado, su inflexible selección, ha sido ya sometido a cuidadosos análisis. Nos queda por mirar éste, precisamente, el del esperpento, por lo que tiene de extraño y revolucionario, y, porque además, solamente en una lejana apariencia podría escribirse en las paredes. Valle Inclán lo ha dignificado rotundamente al destacar de él aquellas zonas que están cargadas de eficacia artística. "De la baja sustancia de las palabras están hechas las acciones" dijo Valle Inclán en *La lámpara maravillosa.* La estructura rítmica de las *Sonatas* pierde su aire lineal, medido y acompasado, para ser sustituida por una arquitectura de alaridos, gritos, balbuceos, frases ocasionales, a medio lanzar en ocasiones. La enumeración asindética llena las páginas del esperpento, al borde del caos (presagio ya de la enumeración caótica que llenará cumplidamente la poesía del tiempo y la algo posterior). La conjunción *y,* tan necesaria en la estructura lingüística anterior, desaparece para dejar paso a la rapidez abrumadora, a la acumulación torrencial. Ya no se exige arrullar musicalmente al lector, sino sacudirle violentamente, despertarle de Dios sepa qué profundo sueño. El conceptismo interior, que justificaba siempre las combinaciones de la prosa modernista [20] se exhibe ahora en pleno contraste

---

20 Una ligera observación, al pasar, permitirá ver con precisión de qué estoy hablando. Todos los comentaristas de las *Sonatas* hemos destacado el uso de combinaciones de dos (y de tres) vocablos (sustantivos o adjetivos) como recurso dilecto de Valle Inclán. Pero quizá no hemos insistido lo suficiente sobre el aspecto revolucionario de sus combinaciones. Ese tipo de

consigo mismo, en familiar burla: *periodista* y *florista.* Queda la rima interna, típica de los primeros adornos juveniles, pero se ha sumado a *periodista* el valor de 'vendedora de periódicos', valor, por cierto, muy cotizable en el género chico. (Nada menos que en *La golfemia* se lee: "Soy periodista, es decir, vendo *Heraldos* por la calle", Cuadro I, escena V.) El círculo "*luminoso y verdoso*" de una lámpara está

---

frase existe muy copiosamente en escritores anteriores. Pereda, por ejemplo, ofrece nutrido repertorio: "Muestra de deferencia y respeto" *(Escenas montañesas)*; "...habían durado la escampa y el sosiego lo estrictamente necesario" *(Peñas arriba)*; "...el horror y la repugnancia de sus convecinos" *(Tipos y paisajes)*; "las pesadumbres y los dolores fueron minándola y consumiéndola" *(Peñas arriba)*; ejemplos de tres: "ofrecer su agonía por blanco a la burla, a la sátira y al escarnio" *(Esbozos y rasguños)*; "rumor continuo, igual, monótono" *(Peñas arriba)*. Podrían sumarse muchos más. Pero, en realidad, lo que hace aquí Pereda no es escribir *español,* sino *la lengua de Cervantes,* que es otra cosa. Está preso del prestigio de la lengua clásica, que, de modo admirable, empleó esas combinaciones de voces sinónimas (o casi sinónimas: es posible que para el clásico hubiese algún matiz semántico que, a veces, percibimos y, a veces, no). Observemos el cercanísimo parentesco semántico de esas palabras combinadas. Es el rasgo que Menéndez Pidal analizó tan certeramente en su ensayo sobre *La lengua del siglo XVI.* En cambio, las combinaciones de Valle Inclán ("golpe alegre y desigual"; "niño riente y desnudo"; "lloroso y doctoral"; "fervorosos y torpes". De tres: "calle antigua, enlosada y resonante"; "campanilleo grave argentino, litúrgico"; "calle de huertos, de caserones y de conventos"; "la vieja, la noble, la piadosa ciudad"; todos de *Sonata de Primavera)* revelan una total disonancia entre sus componentes, y solamente el conceptismo interior del escritor, la disciplina mental que les hace funcionar a la vez (como pinceladas superpuestas de cuadro impresionista o puntillista) es el nexo visible. Valle logra dar *la impresión* de la ciudad antigua, monacal, devota, dormida o despierta bajo el acorde de las campanas conventuales, con la exacta aglomeración de tres conceptos distintos: *vieja, noble, piadosa.* El rumor del río en *Peñas arriba, continuo, igual, monótono,* no pasa de ser ligeramente aburrido.

Ya en *La lámpara maravillosa* (1916), se habla del "esfuerzo por enterrar la prosa castiza". Y es de destacar que aún no se sabía bien en España en qué consistía la prosa castiza: el ensayo de Ramón Menéndez Pidal es de 1933. Como ha vuelto a ocurrir en varias ocasiones, el instinto del creador ha ido por delante de la meditada observación del filólogo.

en situación idéntica. La luz de la lámpara se matiza de covacha, de guarida casi vegetal, donde el mítico conserje desluce los oros de la bocamanga. Por todas partes, la desmesura sobrepasa el marco de las acciones sencillas. (El marco sería, en este caso, la selección pulcra y escrupulosa del período modernista.) Ahora, con qué fulgor, sólo posible en Quevedo, entran las voces de argot, los retruécanos más inesperados, las frasecillas que nunca se habían pronunciado delante de los exquisitos habitantes de la corte de Estella o de los palacios de las *Sonatas*. De ese idioma también estrujado entre los dedos, estremecido de ironía o de cólera, salen las voces con flecos de sombra, de espanto o de dolor. Hay un mantenido empeño por hacer ver el envés de la vida sosegada y encauzada, es decir, la auténtica vida, la que no está sometida a una ortopedia de normas, inhibiciones, pudores, hipocresías. Lo *rubio* se hace *rubiales;* lo *fresco, frescales;* lo *vivo, vivales*. La magia intocable del latín, de las "divinas palabras", se desliza, chorreante, en los *guasibilis, finolis* [21], etc. La voz de la calle, la que sobrelleva la angustia de cada día, de la lucha inaplazable y continuada por alcanzar el día siguiente, se refleja en palabras como *apoquinar, melopea* 'peseta', *sujeto* 'individuo, hombre' o en los gitanismos como *mulé, mangue, pirante,* etc. Voz, ya no de la calle, sino de determinada parcela de la calle es el uso de expresiones como *dejar cortinas* 'dejar huellas o restos de bebida en la copa' [22]; *colgar* 'empeñar'; *ser visitada por el nuncio* 'tener la menstruación'; *dar el pan de higos*

21 EUGENIO NOEL, en esta dirección, puede emplear voces como *niñibilis* 'niño flamenco, agitanado', y *Ricardíbilis,* donde se da el mismo matiz burlón a un nombre de pila. (*Señoritos chulos...*, págs. 156 y 78, respectivamente.)

22 *Dejar cortinas* la encuentro en PÍO BAROJA (*Juventud, egolatría, Ob.*, V, pág. 218), por cierto acompañada de comentario muy valioso sobre el clima social de la expresión.

'favorecer, dar a alguien favores, especialmente amorosos'; *coger a uno de pipi* 'engañar, dar novatada'[23]; *bebecua* 'bebida'; *ir de ganchete* 'ir cogidos del brazo'; etc. ¡Qué enorme caudal de español vivísimo, qué asombrosa expresividad! Oponerse por gazmoñería o encono circunstancial a este torrente de léxico y de formas marginales es olvidarse de que, antes, Quevedo y los picarescos en general, e incluso Cervantes, habían hecho algo muy parecido. Y lo hicieron entonces, en su doloroso e inesquivable entonces.

El aire general que esta lengua desparrama es de un claro madrileñismo. El que corresponde a ese "Madrid absurdo, brillante y hambriento" en que *Luces de bohemia* se desgrana. Multitud de expresiones empleadas por los personajes de este esperpento requieren incluso una entonación especial, que, salida del género chico y de los sainetes, se incorporó al pueblo madrileño y adquirió en poco tiempo patente oficial de autoctonía. Es el caso de "*tener un anuncio luminoso en casa*" para delatar o exagerar una costumbre personalísima; "*hacer algo de incógnito*", extraída del lenguaje periodístico, que tuvo, además de su sentido recto, el figurado de 'no querer enterarse de algo, no importarle a uno nada'; "*jugar de boquilla*", para aludir a la palabrería no acompañada de hechos o resoluciones[24]; *pápiro* 'billete de Banco'; *guindilla* 'guardia de orden público'; "*estar apré* o *estar afónico*" por 'no tener dinero'; "*no preguntar a la portera, que muerde*", dicho que aludía al particular genio de las antiguas vigilantes de las casas; "*rezumar el*

---

23 *Ser un pipi, pipiolo; coger a uno de pipi,* son muy abundantes. Figura ya en CASERO *(Los gatos)* y lo emplean RICARDO BAROJA *(Gente del 98)* y PÉREZ DE AYALA *(Troteras y danzaderas).*

24 *De boquilla,* 'charla o discusión no acompañadas de actos', la encuentro usada en *Churro Bragas* y en *¿Cytrato? ¡De ver será!,* entre otras del género, donde es frecuente. En otras esferas, aparece en CAVIA, *Cháchara,* y en PÉREZ DE AYALA, *Troteras y danzaderas.*

ingenio", por 'tener caspa en los hombros y en el cuello de la ropa'; etc. Los *quinces* 'vaso de vino que costaba quince céntimos'; el recordado *apoquinar*, el llamar *intelectual* a un torero, *intendente* a la persona que administra ilusorios caudales; *banquero* al poeta desharrapado; *capitalista* a quien vive del sablazo; *palacio* a la buhardilla triste y fría, etc., son caracteres muy representativos del habla madrileña de los años 20 a los 30, aunque, en muchos casos, no se puedan documentar literariamente. Es el habla media de un muchacho de mi edad, madrileño, a la llegada a la Universidad, la fraseología que se volcaba en excursiones, fiestas estudiantiles, alborotos callejeros, conferencias pintorescas del Ateneo, etc. Numerosos hilos diversos, aunados en la común y solidaria convivencia, dichos con absoluta limpieza de intención, transformándose a veces en metáfora ocasional y bruñida. Lengua que contrastaba, madrileñamente, con la conversacional del no madrileño, sosegada, lenta de ritmo y de enunciación, oreada por una brisa rural y arcaizante, cuya autenticidad quedaba sobrecogida por los destellos de la calle y del café madrileños [25].

---

25 Son abundantes los rasgos de madrileñismo en el habla de *Luces de bohemia*. Entre los más significativos, añadiré los siguientes: Tendencia a reducir las palabras, dejándolas en su primera mitad, que sirve como índice de reconocimiento. Es procedimiento para extremar la familiaridad con lo local y exagerar crípticamente la cercanía que con determinadas cosas se tiene: *La Corres* 'La Correspondencia de España', nombre de un periódico; *Don Latí* 'don Latino', usado, por cierto, cuando este rasgo estilístico está muy vivo; *propi* 'propina; *pipi* 'pipiolo'; *delega* 'delegación de orden público, comisaría'. Es el mismo caso de los entonces generales (hoy apenas se oyen) *la Bombi* 'la Bombilla, barrio de la ciudad', y *el Campi* 'el Campillo del Mundo Nuevo'; *jipi* 'jipijapa', 'una clase de sombrero'; *preve* 'la prevención, oficina gubernativa'; etc. También es madrileño *lo cual* con un antecedente un tanto amplio: *Habrá que darle para el pelo. Lo cual que sería lástima.* El achulapamiento de la frase *¿te caminas?*, entre conminatoria, suplicante o amenazadora, es también índice local del habla. Redondea la impresión de la afectación barriobajera madrileña de hace unos

Igual que con lo paródico general, hay también una ascendencia común en la literatura teatral, popularista, de fin de siglo y comienzos del actual, para este vocabulario. Todos estos giros, palabras, dichos, refranes, léxico de taberna, de patio de vecindad, de corrillo ante un sacamuelas, o unos ciegos que cantan romances o cuplés de moda en las plazuelas del Madrid que comienza a despeñarse hacia el río, todo era familiar a los libretistas del género teatral y a los poetas madrileñistas. Pero aparece en ellos sin estructurar, sin tener más valía que la de una ocasional caracterización (de encontradas orientaciones). Un verbo como *chanelar* ya está en *La Gran Vía* (1886). Aunque se haya usado antes, lo ha sido en sainetes (González del Castillo, por ejemplo), pero

---

lustros, el uso frecuente de cultismos estridentes en medio de las palabras de ámbito plebeyo. Compárense, por ejemplo. "¡No *introduzcas* tú la pata, pelmazo!"; "¡Un café de recuelo *te integra!*"; "¡Pudiera! *Yo me inhibo*"; etc. Finalmente, recordaré algunas frases que cargan la tinta madrileña a lo largo de la conversación: Ya queda registrada arriba *por un casual;* añadamos *estar marmota* 'estar dormido'; *dar morcilla* 'enviar a uno con cajas destempladas'; *no dar ni los buenos días* 'encarecimiento de la avaricia' (también se decía *no dar ni la hora); cambiar el agua de las aceitunas* 'orinar'; *¡me caso en Sevilla!* 'eufemismo para disimular la violencia o la blasfemia'; *dar para el pelo* 'golpear, dar una paliza'; *¡Que te frían un huevo!* también 'expresión despectiva, reprobatoria', que convivió con *¡Que te frían un Citroën!; torcer la gaita* 'poner cara de disgusto'. Ya exclusivamente madrileña es la cita de *El que no pasa por la calle de la Pasa no se casa,* empleada por la Pisabien, para recomendar a Don Latino que se case con su madre. En la Calle de la Pasa estaban las oficinas de la Vicaría, donde era forzoso arreglar la documentación matrimonial.

Frente a esta riqueza de vitalidad madrileña, popular, los rasgos incultos, vulgares, son muy escasos. Tan sólo algunos en boca del sereno que detiene a Max Estrella (*sus* por 'os'; Max llama al sereno *troglodita asturiano*: las revistas literarias de la época están bastante nutridas de *trogloditas,* indudablemente con el valor de 'cavernícola, reaccionario', véase atrás págs. 143-44), de la vecina que descubre a Max muerto (*señá, apegarse*) y de la Lunares (*cuála, dilustrado*). El valor estilístico de estos vulgarismos es clarísimo y eficaz. Para la lengua de Madrid, aún sin estudiar seriamente, véase mi artículo *Una mirada al hablar madrileño,* en *Lengua, literatura, intimidad,* Madrid, Taurus, 1966, págs. 637 y sigs.

no vuelve a aparecer con intensidad hasta el género chico, de donde pasa a Valle Inclán (¡Ese espectacular *Yo también chanelo el sermo vulgaris*!) y a Eugenio Noel (*España nervio a nervio*); *apoquinar* lo usa también Eugenio Noel (*Señoritos chulos...*) en 1916; *filfa*, como andalucismo o popularismo lo escribió mucho Don Juan Valera, y también Galdós. (Lo he encontrado utilizado en muy graves declaraciones de muy graves generales del ejército español, hacia 1919.) Otros vocablos (*frescales*, el recordado *periodista*, *quince* 'vaso de vino'; *pítima, lacha*) ya están en *La golfemia*. *Estupendo* ("*no te pongas estupendo*", antecedente de nuestro *ser alguien estupendo*) está emparentado con la *estupendez* de Arniches (insistamos: hay que volver a recordar la *grotesquez*, de Mariano de Cavia); *sujeto*, 'individuo, hombre', ¿no nos despierta a todos un eco muy inmediato de *La verbena de la Paloma*? Añadamos a esto las numerosas blasfemias o los términos jergales (*empalmar*, 'llevar de determinada manera la navaja en la mano') y los gitanismos (*mangue, pirante, dar mulé, parné, gachó*, etc.), también frecuentes en los libretistas, y tendremos de cerca la superación —lo mismo que en el terreno de la configuración general de la parodia— de una manera colectiva, aceptada por la mayoría, de una forma de idioma. Todas las palabras y giros que destaco, aparecen, en los sainetes y poesías popularistas, con gran frecuencia, rodeados de vulgarismos fonéticos (*rial, haiga, denguno, desigencias, pa, pus, mortalidaz*, con *-z* final, *sus* por *os*, etc.) e incluso envueltos en una confusa atmósfera andalucista (seseo, ceceo) con lo que el autor revela que quiere destacar la condición marginal de esa lengua, pretende exagerar la cualidad iletrada o rural de sus personajes. En Valle Inclán todo esto se crece hacia un coloquio de universal proyección artística. Es el espectro noctámbulo de Max Estrella, lanzando a la noche palabras latinas, hablando de los cuatro dialectos griegos, sí, pero redondeando la frase con un "*Más chulo que un ocho*". Y todos estamos de acuerdo: nadie nota hoy el tremendo encabalgamiento espiritual que esas facetas idiomáticas suponen. Una vez más, Valle Inclán supera y dignifica, arrolladoramente, todos los modelos y antecedentes posibles [26].

---

26 El léxico madrileño surge, en *Luces de bohemia,* con pujanza insorteable, mezclándose los cultismos extraños, los gitanismos y las creaciones momentáneas con estrecho vigor. Una breve lista, puramente enunciativa, nos ilustrará: *apañar* 'robar'; *beatas* 'pesetas'; *bocón* 'boceras, charlatán'; *cañí* 'gitano'; *cate* 'golpe, bofetada' (figura en alguna de las parodias); *dejar cortinas* 'dejar residuos o restos de bebida en la copa en que se bebe' (recuérdese lo dicho más arriba, pág. 150); *curda* 'borracho'; *chalao* 'loco, chiflado', de muy frecuente empleo en la literatura popularista anterior; *chola* 'cabeza'; *dimanar* 'causar, provocar', verbo que se utilizó con valores aproximados (Arniches, por ejemplo, en *La pareja científica); faltar* 'ofender', ya general en todo el dominio hispánico; *fiambre* 'cadáver'; *gatera* 'tunante, calavera, sinvergonzón'; *guindilla* 'guardia de orden público'; *guipar* 'ver, mirar'; *llevar mancuerna* 'recibir una paliza, un tormento de cualquier tipo'; *¡naturaca!* '¡naturalmente!', voz de cuya novedad en los medios en que nos estamos moviendo da pruebas Eugenio Noel (*Señoritos chulos...,* pág. 319); *pájara* 'mujer, hembra, con alguna connotación peyorativa'; *panoli* 'tonto, bobalicón', ya usada en el siglo XIX (Galdós, Pardo Bazán, Casero, el género chico); *papel* 'periódico', aún vigente entre los vendedores; *pápiro* 'billete de banco', que se oye todavía y también fue empleado en *Troteras y danzaderas; punto* 'sujeto avispado, perdulario, golfante'; *pela* 'peseta'; *pupila, tener pupila* 'tener cuidado, avivarse, estar listo' (en *Troteras y danzaderas* es aún más madrileño: *púpila); servidor, servidorcito* 'yo'; *soleche* 'pelmazo, tonto, latoso'; *sombrerera* 'cabeza'; *susodicha,* voz muy empleada, extraída del lenguaje leguleyo; *vándalo, ser o no ser vándalo* 'bestia, bruto', etc.

DEL TEATRO AL CINE

Mucho se ha hablado ya del gesto de guiñol que, a veces, mueve a los fantoches del esperpento. Es, sin embargo, sintomático: en las *Sonatas,* los personajes hablan con pleno dominio de las situaciones, escuchándose, sin salir jamás del marco de la escena. Un escondido director teatral da la entrada a cada uno de los hablantes, en la ocasión inaplazable y certera. Se trata, ante todo, de continuidad, de sucesión. La misma obra marcha hacia un desenlace, consecuencia de lo allí planteado. Así es desde la revolución teatral del renacimiento. En *Luces de bohemia,* los personajes hablan tumultuosamente, todos a la vez, en ocasiones chillando, gesticulando. Es la "deformación" correspondiente a la pausada entonación recitativa de las *Sonatas,* convertida en interjecciones, sobreentendidos, blasfemias, balbuceos, alaridos. Y, correlativamente, colocamos al lado de este idioma torrencial el aspaviento oportuno. Inevitablemente se nos viene a la memoria el cine primerizo, hecho a base de gesticulación exagerada y veloz. Habrá que contar ya para siempre con el cine, de una u otra forma. Las películas rancias, caídas, carreras, sustos, muertes grotescas, guiños apresurados y torpones, tolvaneras de inesperada emoción, etc., logran tangible corporeidad en las páginas del esperpento. El entierro triste, la huelga callejera, los vidrios rotos, la gritería, los contrastes de luz y de sombra, de amargura y de burla, recuerdan al cine del tiempo.

He aquí el ángulo de modernidad más sangrante del esperpento. Todo el arte del siglo XIX hablaba de elementos mucho más tranquilizadores que el nuestro: se hablaba, con aplomo, de progreso, de fluidez, de evolución. Artísticamente, el matiz era decisivo. Pero el siglo XX nos ha enseñado un mundo en el que no tienen cabida tan seguras actitudes, sino que resulta el dominio total del absurdo, una complicada máquina en la que nexos y concatenaciones son imprevisibles, azarosos, ilógicos: Vivimos en el imperio de lo discontinuo, lo revolucionario [1]. Y es precisamente hacia 1920 cuando Europa comienza a vivir estas irregularidades o nuevos puntos de intelección. Como en tantas ocasiones, las artes plásticas son la vanguardia del problema y las que logran exhibirlo mejor. El cubismo, el arte abstracto después, la música de Schönberg, de Darius Milhaud y de Alban Berg. Finalmente, el cine. Es el cine el gran introductor en la conciencia actual de este sentido de la discontinuidad, del azar, de lo fragmentario. (No es una simple casualidad que se titule precisamente *1919* un libro capital en la nueva visión del mundo. Me refiero a la novela de John dos Passos.) Ese hombre dividido, escindido dentro de sí mismo en contradicciones y ambivalencias, es el héroe solemne y achulado, exquisito y miserable, de *Luces de bohemia.* Es el Sawa que, líricamente, se reconoce un canalla y que, desde su situación protestataria, decide no irse al otro mundo sin tocar el fondo de reptiles. Notas que quiebran la tradicional escala melódica, como en la música coetánea, son los acordes del loro, del chico pelón, del gato, en la tertulia de Zaratustra; idéntico papel desempeñan las

---

[1] Ver GEORGES MATORÉ, *L'espace humain*, Paris, 1962.

apostillas del borracho anónimo en la taberna, o los diversos niveles en que se expresa el coro de poetas modernistas en la redacción del periódico. Son pinceladas cubistas, entre otras, el recuerdo de la luna "partiendo la calle por medio", o la banda de luz en la puerta de la buñolería, o la integración de las copiosas imágenes quebradas en los espejos del café, esa "absurda geometría que extravaga". Contemplamos uno de los discutidísimos cuadros del momento al leer apostillas como éstas: "Media cara en reflejo y media en sombra. / Parece que la nariz se le dobla sobre una oreja" (E. II); "Recuerdo partido por medio, de oficina y sala de círculo" (E. VIII). El fin último del cuadro se percibe en esta acotación: "El compás canalla de la música, las luces en el fondo de los espejos, el vaho de humo penetrado del temblor de los arcos voltaicos cifran su diversidad en una sola expresión" (E. IX). Y podríamos hacer más largo y representativo el desfile. Visión fragmentaria de la vida, acosada de momentaneidad. Nada más explícito que ese hueco, lleno de sugestiones, que se motiva en la fila de fantoches, cuando uno de ellos abandona la habitación (E. XIII).

Y todo eso es cine, está visto cinematográficamente. Es precisamente su febril exaltación del movimiento (gestos, muecas, etc.) lo que le diferencia y caracteriza. Cada negro total nos permite ser lanzados a una nueva aventura, sin dejarnos hueco para expresar nuestra personal reacción por la aventura anterior. Es menester superponerlas. Del movimiento certero depende su vida misma, su dosis de emoción y de patetismo. Y, además, la superposición a que me refiero se hace sobre espacios vitales muy diferentes, en ocasiones hasta opuestos: la buhardilla, el despacho ministerial, la noche perfumada de lilas en la verja del jardín, la parodia desencantada en el cementerio. Y todo va desgranándose hacia un contorno en el que nuestra actividad es esclava de la diversidad de las perspectivas (de arriba a abajo, desde un lado, de cerca, de lejos. Recordemos, de paso, las tan traídas y llevadas palabras de Valle Inclán sobre la forma de mirar a sus personajes, y pongamos detrás de ellas una cámara cinematográfica). Idéntica superposición revela la visión temporal de *Luces de bohemia:* el ámbito cronológico, amplísimo, aparece amontonado, atado a un tormentoso presente, en la escena carcelaria. No podemos hacer otra cosa que acatar —a veces soportar— ese mundo absurdo, sin distancias o con escasos puntos de referencia. Un mundo que puede ofrecernos abrumadoramente agigantado el clavo que hiere la sien de un cadáver y grotescamente minimizado y confuso el noctámbulo pasear de unas mujerucas, e incluso aprovecharse arteramente de las sombras para destacar lo que clama a nuestra complicidad: las cargas de la policía, la escena de la cárcel, la muerte de Max en el primer recodo de la amanecida. Y, dentro de una clara ortodoxia cinematográfica, estos relámpagos de vida desaparecen con la misma audacia con que han surgido. Ese clavo que rasga la frente del muerto, ¿qué hace después? Ese vacío que deja un fantoche en la hilera, ¿de qué sugestiones se llenará después? Figuraciones, ojos colgados de sí mismos, resignación ante el absurdo y la discontinuidad que esos dos primeros planos han puesto ante nosotros, tan esquivos, tan fugaces: muertos apenas aparecidos. Como el propio Max Estrella, irrevocablemente acostado en el quicio del portal. Mientras las mujeres gimotean ("Está del color de la cera"... "Esto no lo dimana la bebida"... "Es el poeta que la ha pescado"), no vemos otra cosa que un encuadre, espléndido encuadre, de la cabeza yerta, y ya esperamos el cambio súbito, que presentimos inmediato, fulminante.

Fuera de duda nos parece que la mirada se ha avezado a lo que más de cerca ha traído y manejado el aspecto fragmentario y discontinuo de la existencia: el cine. Pero también en este rinconcillo el género chico había dado la alarma, había entrevisto que algo nuevo pasaba por allí, algo de lo que se podía sacar algún partido. También había intentado acercarse a ese quehacer recién nacido a través de sus fáciles imitaciones burlescas, de sus superficiales interpretaciones. Y una vez más hemos de recordar aquí a Salvador María Granés. Este escritor irascible, para quien, como dice el redactor de *El popular*, "no hay nada grande, nada digno de admiración", escribió una obrita, naturalmente con cantables, en la que, muy de cerca, bulle el cine del momento, rápido, alborotado, desplazándose en torbellino de un lado para otro, y, fundamentalmente, inconexo, discontinuo. *Delirium tremens!...*, la obrita a que me estoy refiriendo, ya acusa en el título el alocado sucederse de brazos al cielo, el ir y volver característico de las cintas añejas. *Delirium tremens!...*, ya absurda en el título, no recibe el acostumbrado subtítulo de sainete lírico, o de parodia, etc. Se llama pomposamente *Película sensacional*.

Escrita en colaboración con Ernesto Polo, y con música del maestro Valverde (hijo) y de Rafael Calleja, fue estrenada en el Gran Teatro de Madrid, el 22 de diciembre de 1906, cuando Valle Inclán acaba de redondear la publicación de las *Sonatas*. En el *Delirium* de Granés, nos encontramos con que el personaje es muy conocido, está ahí, forma parte de nuestro contorno. Es la popularísima Loreto Prado, quien, en compañía de Enrique Chicote, va a celebrar su beneficio. La acción comienza en el mismo camerino de la actriz. Nervios, manos en frenético ir y venir a la cabeza, ojos en blanco, flores que llegan tercamente, etc. Hay que esperar a Chicote. La espera se prolonga demasiado. Ha ocurrido que una afectadísima dama acaba de raptarle. La dama se llama Kara Renard (contrafigura de Sara Bernhardt). Enamorada de Chicote, se lo lleva a París. Allá va Loreto, detrás. Se suceden las escenas de persecución, plagadas de incidentes, que presagian las películas cortas de Charlot. Chicote va a parar, ¡nada menos! a Rusia, metido en el baúl de un conspirador: allí le detiene la policía. Detrás ha llegado Loreto, que le ha perseguido paso a paso, llegando siempre un poco tarde, cosa muy natural. Trueques, cambios, equivocaciones. Tiranía del absurdo y de una nueva velocidad, en la que todo aparece descoyuntado, sometido a un nacimiento perpetuo, sin la conexión, la continuidad típicas del siglo anterior. Los personajes de *Delirium tremens!...* chillotean, bailan, se mueven como marionetas, llevan vestidos ridículos. Asistimos a un monumental entierro de la sardina, solanesco, moviéndose debajo de unos nombres estúpidos que acarrean rimas equívocas, etc. Cuando Loreto Prado despierta (todo ha sido una pesadilla) y vuelve a hacerse la luz, el bulto inmediato de las cosas es un profundo respiro. Se ha encendido la sala de nuevo, ha cesado la larga, disparatada evasión [2].

Vemos otra vez —¡y cuántas aún, Dios mío!— a Valle Inclán culminador de un proceso ambiental, exquisito exponente de un espacio humano. *Luces de bohemia* está, lo hemos visto, traspasada de cine. Pero está vista, externamente, como una obra teatral, lo que entonces se hacía. Está anclada en una tradición. Los esfuerzos por represen-

---

[2] Recuérdese que P. Muñoz Seca recurrió también al cine en alguna ocasión. Así sucede, por ejemplo, en *Trampa y cartón,* donde hay algunas secuencias cinematográficas, interpretadas por los mismos actores que hacían la representación teatral. *Trampa y cartón* se convirtió en zarzuela en 1920.

tarla han sido muchos, con varia suerte. Pero ahora comprobamos su carácter crucial, entre lo viejo —teatro popular, rasgos de ese teatro— y lo nuevo —el cine, la acción discontinua y absurda—. Convendría ir olvidando el recurso de "prosa o estilo de acotación escénica" para sustituirlo por el de "prosa de guión cinematográfico". Es mucho más ceñido y exacto. ¡Qué acusada justeza cobrarían frases como "Gran interrupción"; "Se cierra con golpe pronto la puerta de la buñolería"; "Llega el sereno, meciendo a compás el farol y el chuzo"; "Lobreguez con un temblor de acetileno"; "La cara es una gran risa de viruelas"; "Hay un silencio", etc.

Sí, hay mucho de cine en *Luces de bohemia.* De ese cine primerizo, aún balbuceante, entre documento y diversión sin contornos, en el que asoma la cara un deje de crítica, de amargura por muchas realidades sociales en discusión. No tenemos hecha la historia del cine en nuestra tierra, no puedo decir otra cosa que una armonización entre mis recuerdos y mis lecturas, y, lo que es peor, ensamblar éstas con mi mirada, ya condicionada definitivamente por el cine. He podido ir desenterrando multitud de parodias, de sainetes olvidados, que me han llevado a la realidad callejera, no deformada, del Madrid de 1920. Pero no puedo hacer lo mismo con las innumerables películas que debieron correr por la ciudad en los años iniciales del siglo. ¿Cómo demostrar que bajo la corteza de *Delirium tremens*!... se oculta una película de ambiente, sucesos, etc., parecidos? Ya conocemos la manera de trabajar del buen Granés. Pero me ayuda a mi suposición, aparte de la indiscutible sugestión del aire nuevo del esperpento, atmósfera solamente posible en un espacio humano donde la discontinuidad es lo básico (la discontinuidad y el absurdo), y donde *Luces de bohemia* queda cómodamente instalada, me anima, digo, el que otros críticos y lectores de Valle hayan incidido sobre lo mismo, desde distintos aspectos [3].

---

[3] E. SPERATTI, *ob. cit.*, pág. 92 (basándose en otros textos); J. MONTERO PADILLA, en su prólogo a *La pareja científica*, de Carlos Arniches; Salamanca, 1964, J. F. MONTESINOS, en *Modernismo, esperpentismo, o las dos evasiones*, en *Revista de occidente*, noviembre-diciembre, 1966, páginas 155-156 y 161.

VARIANTES

Las variantes registradas entre la edición fragmentaria de *España* y la total en libro acusan plenamente la doble vertiente que Valle Inclán ha perseguido. Por un lado, la mayor precisión y agudeza en la expresividad, el hacer más justo y ceñido su pensamiento, y por el otro, hacer más visible la proyección crítica del libro, cargando la mano sobre lo sarcástico, lo inoperante de las actitudes sociales vigentes y de sus figurones. Observemos estas variantes.

Lo primero que hay que destacar es cómo las escenas más preñadas de contenido social y político *no* figuran en la edición de 1920. Esas escenas son la II (diálogo en la librería de Zaratustra), la VI (escena carcelaria, con la conversación entre Max Estrella y el obrero catalán) y la XI (la más patética: la escena del niño muerto por una bala de la policía, durante un alboroto callejero). La filigrana común entre estas tres escenas se apoya en la evidente protesta. En la primera de ellas nos tropezamos con el loro que da grititos patrióticos, con el chiquillo pelón que enarbola bandera y que, montado en una caña simuladora de un caballo, también grita en loor de la patria, rompiendo la frase al compás de su ficticia cabalgadura. Oímos ahí la cita de Lenin y las observaciones sobre la vida religiosa española (fariseismo, chabacanería, incultura)[1]. Desde la pobreza de los que hablan, surge la vida europea entre posturas reaccionarias o mal informadas (el llamar *marimachos* a las sufragistas, por ejemplo) y la organización eficaz (el recuerdo de la forma de vida londinense), a la vez que el orgullo vano por ciertas cosas de España, absolutamente inoperantes ante la problemática concreta: "Nuestro sol es la envidia de los extranjeros". La voz ciega de Max Estrella es la que da la contestación oportuna a este facilón y hueco orgullo: "¿Qué sería de este corral nublado? ¿Qué seríamos los españoles? Acaso más tristes y menos coléricos... Quizá un poco más tontos... Aunque no lo creo."

En las líneas finales de la escena surge otra vez el frecuente "¡Maura no!" de esos años. Al esquivar Zaratustra la contestación sobre el desenlace de un novelón por entregas, Max Estrella le replica: "Zaratustra, ándate con cuidado, que te lo van a preguntar de Real Orden". Detrás de esta frase, ya para nosotros vacía, está todo el sistema de la dirección de Don Antonio Maura, de su "gobierno largo" (1907-1909) y de sus fugaces, pero necesitadas, intervenciones en 1918 y, especialmente, en 1921-1922, después

1 "España, en su concepción religiosa, es una tribu del Centro de África". "La miseria del pueblo español, la gran miseria moral, está en su chabacana sensibilidad ante los enigmas de la vida y de la muerte. La Vida es un magro puchero; la Muerte, una carantoña ensabanada que enseña los dientes; el Infierno, un calderón de aceite albando donde los pecadores se achicharran como boquerones; el Cielo, una Kermés sin obscenidades, a donde, con permiso del párroco, pueden asistir las Hijas de María. Este pueblo miserable trasforma todos los grandes conceptos en un cuento de beatas costureras. Su religión es una chochez de viejas que disecan al gato cuando se les muere". La cita es larga, pero la transcribo para que se pueda percibir, tarea bien fácil, la enorme diferencia entre este trozo (largo, discursivo, mitinesco, nada *esperpéntico*) y el resto del libro, rasgado en perpetuo esguince, diálogo bajo el imperio de la frase rápida y violenta.

del desastre de Annual. Las Reales Órdenes eran procedimiento desusado dentro de la lentitud parlamentaria. La opinión sobre el procedimiento, también retardataria y un sí es no es disconforme, aflora en múltiples testimonios. Algunos de éstos pueden ser excelente acompañamiento al trozo de Valle Inclán. En el periódico satírico *Gedeón* (24, diciembre, 1903: Antonio Maura acaba de suceder a Silvela en la jefatura del partido conservador), se lee, como cúspide de unos comentarios que vienen apareciendo en números anteriores: "El ideal de Maura: Una España de Real Orden". En el mismo periódico, casi todo el otoño de 1907, se insiste en zaherir las Reales Órdenes. Enero de 1908 se ensaña con las Reales Órdenes. Todo el año se desliza por una pendiente de ataques al político. Aunque el "oficio" de *Gedeón* era criticar sin matizar el color o ideal del criticado, lo cierto es que la particular guerra contra las Reales Órdenes refleja cómo gravitaban éstas sobre la conciencia colectiva. Una vez más vemos todo un amplio, multiforme proceso reducido a la simple enunciación, que se escurre apenas por un rinconcillo de la charla, casi en voz baja, consciente de su clandestinidad [2].

La escena VI incide plenamente sobre la cuestión social, atroz llaga de la vida española entre 1920 y 1923. En ella ha sabido Valle Inclán entremezclar estrechamente el largo período de tiempo que va desde las guerras coloniales en

2 En la redacción de esta escena, posterior a 1920, se le escapan a Valle Inclán los trabajos o las ideas en marcha. En 1921 aparece en La *Pluma, Los cuernos de don Friolera.* Un levísimo anuncio de la preocupación por esa obra nos lo da "Doña Loreta, la del coronel", la lectora de *El Hijo de la Difunta,* novelón por entregas. Un poco más y será otra Doña Loreta, la mujer de don Friolera, con su halo de novelería, gesticulación, a la que vemos —y oímos— reaccionar muy populacheramente ante la posibilidad de salir retratada en *ABC.* Se trata de algo análogo a la premonición de *Tirano Banderas,* tan visible desde el ángulo lingüístico, en la escena XI (véase págs. 132-134).

Cuba hasta el momento en que escribe. Uno y otro extremo surgen nítidamente, fundidos en las palabras del preso: "En Europa, el patrono de más negra entraña es el catalán, y no digo del mundo porque existen las Colonias Españolas de América". Es la frase que cierra el párrafo iniciado con otras bien expresivas: "El ideal revolucionario tiene que ser la destrucción de la riqueza, como en Rusia". Vemos así admirablemente enhebrado el sistema valleinclanesco de faltar al rigor temporal, haciendo presente lo pasado (las Colonias de América) y convirtiendo en recuerdo el presente (la revolución rusa). Nexo entre ellos, el terrorismo catalán, las luchas entre patronos y obreros, pan nuestro de cada día por aquellas fechas. Aun exagera esa niebla temporal la asociación del preso (que dice llamarse Mateo), con el recuerdo, general en todos los españoles, de Mateo Morral, el anarquista que arrojó una bomba al paso del cortejo nupcial de Alfonso XIII y Victoria Eugenia de Battenberg. El proceso de la guerra interna de Cataluña ("todos los días un patrono muerto; algunas veces, dos") aparece estrechísimamente encerrado entre sus más rígidos corchetes: el origen de la Semana Trágica de 1909 ("No quise dejar el telar por ir a la guerra, y levanté un motín en la fábrica", expresión que define el origen de la intentona revolucionaria: "Soy joven, [tengo] treinta años", dice el preso catalán) y la azacaneada Ley de fugas, recurso tan utilizado en la represión del terrorismo: "Conozco la suerte que me espera: Cuatro tiros por intento de fuga". Todo queda resuelto en el grito desgarrado, evocador de infinitos desengaños y de otras bombas ya lejanas: "Mateo, ¿dónde está la bomba que destripe el terrón maldito de España?".

El "Abracémonos, hermano", final de la escena, evoca muy de cerca el gesto de confraternidad (ya expresado en alguna obra anterior) con el indio mexicano, de igual modo que en la actitud de Max, al quedarse solo en el calabozo, ("...se sienta con las piernas cruzadas, en una actitud religiosa, de meditación asiática") volvemos a evocar el ya naciente Zacarías el Cruzado, sentado a la puerta de su chozo, los restos de su hijo al lado, herido por el manantial borboteante del estupor y la venganza.

De paso, conviene observar cómo hay en esta escena muy pocos elementos de esperpentización. Comienza a insinuarse una gravedad dolorosa que culminará en la escena XI. Los rasgos de chabacanería, guasa o alarido escarnecedor, de animalización incluso, son abundantes en la escena II, la primera añadida. Han decrecido notablemente en esta escena VI ("¡Vas a llevar mancuerna!", "Gachó, vas a salir en viaje de recreo", "Usted lleva chalina"), y desaparecen en el clima trágico y atenazador de la escena XI.

La escena XI está, como venimos señalando, añadida en la redacción de 1924. Me inclino a creer que está escrita bajo el peso de una agria presencia inmediata, y que, precisamente, se escribió en los días de la aparición de la primera redacción en *España*. Mejor dicho, más que escrita, pensada, y quizá esbozada. Toda la lucha callejera que contiene nos lleva muy vivamente al panorama madrileño que, aterradoramente, exhiben los periódicos en el invierno y la primavera de 1920. Pero, por alguna razón, esa escena no apareció en las entregas de *España*. Si, como me atrevo a suponer, reflejaba la realidad inmediata, es posible que, acosado por su amargo contenido, Valle no supiese encajarla dentro del aire total del esperpento. Tal como está, la veo *reescrita*, como a distancia, cuando a la indignación y a la cólera inmediatas ha sucedido una patética, desconsolada amargura. Me empuja, además, a esta consideración, la ráfaga seudoamericana del habla del empeñista, que me lleva de la mano a *Tirano Banderas,* pugnante por nacer. (véase más atrás pág. 132). Esa escena XI, al ser reescrita desde un ángulo distante y sereno ha perdido toda esperpentización. Aparece dotada de una total gravedad, de un preocupado gesto, abatido, doloroso, que en vano buscaremos en el resto del libro. Y de paso surge altamente literatizada. El proceso estilizador ha sido víctima de su propio contenido y ha esquivado, por excepción en el libro, el clima paródico y mordaz, para detenerse en su hondo patetismo.

Pero, desde luego, el medio real, ese medio que nos asalta inesquivablemente en todo el libro, es el atenazante de las revueltas callejeras en 1920. Huelgas de panaderos, de ferroviarios, de correos... Desasosiego, estados de excepción, ya parciales, ya nacionales. Cargas de la policía, tiroteos. Ahí está el niño muerto. A mediados de agosto de 1920, es decir, pocos días antes de comenzar la publicación de *Luces de bohemia* en *España,* hay un violento alboroto en Cuatro Caminos, a causa de un atropello. El automóvil causante es incendiado por la turba y un niño de once años muere de un tiro, en la represión: una de esas balas perdidas, ciegas, sin rumbo concreto, esperpénticas. El 21 de mayo del mismo año, ha ocurrido algo muy parecido, en la calle de la Cabeza: esta vez fue una niña. Otro chiquillo de once años, que estaba en la cola de una panadería, muere con la cabeza hundida por los cascos de un caballo de la guardia de orden público, en la calle de Pizarro, donde vivía. Se llamaba Manuel González Aparicio. Los periódicos cargan las tintas, declamatoriamente, estremecedoramente sobre el infeliz: todo el escalofrío de espanto que recorre la escena XI, gritos de madre desesperada, peso brutal de lo absurdo y gratuito, irresponsabilidad criminal del ambiente, palabrería justificativa de actitudes cobardes. "Círculo infernal", llama Max Estrella a todo eso, no sin antes gritar su propia impotencia: "¡Canallas! ¡Todos! ¡Y los primeros nosotros, los poetas!" Grito que retrata muy a las claras el salto gigantesco que deja atrás la literatura irresponsable y huidiza, anegada de vanos preciosismos, y reconoce, clamorosamente, la necesidad de un compromiso. Todo se redondea con el eco de la ley de fugas, descargas que se repiten sobre las tapias del convento, o bajo las balconadas de los palacios:

EL EMPEÑISTA. ¿Qué ha sido eso, sereno?
EL SERENO. Un preso que ha intentado fugarse.
MAX. Latino, ya no puedo gritar... ¡Me muero de rabia!... Estoy mascando ortigas. Ese muerto sabía su fin... No le asustaba, pero temía el tormento... La Leyenda Negra, en estos días menguados, es la Historia de España.

En estas condiciones, la muerte es una solución muy a la mano: "Llévame al Viaducto. Te invito a regenerarte con un vuelo".

Toda la escena demuestra, desde su profunda, levantada amargura, cómo Valle ha ido aumentando, en el correr del tiempo, la furia contra las instituciones vigentes. En esta breve escena se condensa toda la protesta, la queja contra una sociedad caduca, anquilosada. Es probablemente su sinceridad, su verdad limpia la que limita los recursos esperpénticos en esta ocasión. La visión cinematográfica, en primeros planos, de la cabeza del niño, con la sien rota, o de la madre, apretando contra el pecho el cadáver, mientras se oyen las descargas que matan al obrero catalán, nos provoca un escalofrío penoso, quizá más directo y vivaz que el que despierta, poco tiempo después, el hijo de Zacarías el Cruzado, en *Tirano Banderas,* destrozado por los cerdos y los zopilotes. Si observamos en su conjunto las tres escenas añadidas, vemos que, en la primera (la tertulia en la librería de Pueyo) domina la broma, el aire guiñolesco, tanto en acciones como en dichos; en la segunda (la escena de la cárcel), ya asoma una preocupada gravedad. Y en la tercera, la patética escena XI, se alcanza la cima de toda una prolongada protesta, irrestañable, desolada, que toca directamente a nuestra más dolida conciencia.

OTRAS ADICIONES

La versión de 1924 salpica el texto de 1920 con numerosas adiciones aisladas. A veces se redondea una frase que acaba de perfilar el tono del hablante, ya en la vertiente culta de los bohemios, ya en el desgarro procaz o achulado de la esquina o del arrabal. Entre las destinadas a aumentar la tensión de la crítica social son destacables las siguientes:

La escena III (II de *España)* termina con la conversación entre los ocasionales asistentes a la taberna de Pica-Lagartos. El charloteo fácil y forzosamente balbuciente de los bebedores se devana en exclamaciones a media voz, cargadas de ironía:

MAX. Latino, préstame tus ojos para buscar a la Marquesa del Tango.
DON LATINO. Max, dame la mano.
EL BORRACHO. ¡Cráneo privilegiado!

La versión de 1924 añade un par de frasecillas, que entran desde la calle tumultuosamente, poniendo su alarma en vilo sobre la atmósfera apelmazada de la taberna:

UNA VOZ. ¡Mueran los maricas de la Acción Ciudadana! ¡Abajo los ladrones!

Es indudable que el añadido hace resurgir la zozobra, con su chillar inesperado, clamante contra algo, y nos recuerda, que, en la calle, la pelea sigue, inesquivable, endurecida.

Veamos otros ejemplos. En la escena IV (III de *España)*, el Capitán Pitito, jefe de la guardia de orden público, ordena al sereno, al entregarle a Max, para que le lleve a la Comisaría:

EL CAPITÁN PITITO. ¡Me responde usted de ese hombre, sereno!

Este escueto mandato ha sido aumentado y matizado en la redacción de 1924 de la siguiente manera:

EL CAPITÁN PITITO. ¡Me responde usted de ese hombre, sereno!
EL SERENO. ¿Habrá que darle amoníaco?
EL CAPITÁN PITITO. Habrá que darle para el pelo.
EL SERENO. ¡Está bien!

Con el ligero añadido se subraya el abuso de autoridad del oficial colérico y la necedad, la sumisión, la exageración de una autoridad mínima, por parte del sereno, quien, poco después dirá, orgullosísimo: "¡Soy autoridad!". El añadido viene a ensanchar la sensación de malestar y de violencia en la lucha callejera, a la vez que la falta de auténtica justicia. Por parte de Don Latino, en el mismo trozo, otro pequeño añadido confirma lo que vengo señalando. En 1920, dice Don Latino: "¡Max, convídale a una copa!" (se refiere al sereno). 1924 agrega: "¡Max, convídale a una copa! ¡Hay que domesticar a este troglodita asturiano!". Autoridad troglodita, un oficial de policía haciéndole responsable... ¿No vemos cómo la pequeña autoridad se puede ir creciendo, hasta salirse de sus justos, apropiados cauces? Es lo que vemos, ya diáfanamente, cuando, líneas después, y también en otro añadido de 1924, oímos decir al sereno, dirigiéndose a los poetas que acompañan a Max: "¡Vaa!" [Está contestando a la llamada de un vecino, y así termina la edición de *España*. La de 1924 agrega]: "Retírense ustedes sin manifestación." Incluso la expresión revela un pedantesco, ridículo engolamiento.

El final de la escena reitera una vez más esta voluntad de pulimiento, de aguzar la vertiente injusta y cruel de la represión. La edición de 1920 terminaba:

UN GUARDIA. ¡Basta de voces! ¡Cuidado con el poeta curda! ¡Se la está ganando, me caso en Sevilla!

La de 1924 puntualiza agregando:

EL OTRO GUARDIA. A este habrá que darle para el pelo. Lo cual que sería lástima, porque debe ser hombre de mérito.

El final primero dejaba más en el aire la explosión rencorosa y agria. La segunda redacción acusa ese mantenimiento y añade otra faceta más: la de la maldad consciente, serena, la del tormento aplicado ya lejos de la cólera irreprimible, con lo que se hace más dolorosa y escalofriante la situación.

Otros dos ejemplos van a confirmarnos aún más esta acentuación de 1924 sobre la sátira política. En la escena XII (IX en *España*), Max va a morir en el quicio de su portal. Oímos al poeta en 1920:

LATINO. ..."Por esas coronas, me inclino a pensar que el muerto eres tú.

MAX. Voy a complacerte para quitarte el miedo.

En la edición en libro, se lee:

> MAX. Voy a complacerte. Para quitarte el miedo al augurio, me acuesto a la espera. ¡Yo soy el muerto! ¿Qué dirá mañana esa canalla de los periódicos, se preguntaba el paria catalán?

La adición de estas frases a la vez que desempeña el papel de añudar en el momento más trágico el recuerdo del obrero fusilado con las peripecias de Max Estrella, avisa al lector cómo el peso de unas estructuras cae sobre todos a la vez y sin discriminación. Es una especie de muerte por solidaridad, por simpatía, lo que propugna Max Estrella, frente al comportamiento de la autoridad.

El segundo ejemplo que quiero destacar es un leve añadido en la escena del velatorio (XIII; X en *España*). Entre las frases de circunstancias que se desgranan junto al cadáver del poeta, Don Latino no ahorra nada: "...¡Te has muerto de hambre, como yo voy a morir, como moriremos todos los españoles dignos! ¡Te habían cerrado todas las puertas, y te has vengado muriéndote de hambre! ¡Bien hecho! ¡Que caiga esa vergüenza sobre los cabrones de la Academia!". Así figura en las dos redacciones. La segunda añade: "¡En España es un delito el talento!". La frase, extraída de su contexto, revela una amarga, desengañada experiencia, donde la queja, perdida la alharaca chillotera de las frases anteriores, se muestra dolida, apesadumbrada, ya sin remedio, definitivamente abatida toda esperanza. El escarnio se ha hecho monstruoso cuando uno de los guardias añade, después de amenazar y llamar al "orden": "Yo respeto mucho el talento" (E. IV).

Menudean por el texto de 1924 ligeras adiciones, que sirven para agravar la personalidad del hablante. Son evidentes clarificaciones, matizaciones acusadoras. Veamos, por ejemplo, algunas de ellas,

1920	1924
¿Es verdad, Max? (E. I).	¿Es verdad, Max? ¿Es posible? (E. I).
Sin el aplauso de ustedes, los jóvenes que luchan pasando mil miserias, hubiera estado solo. (E. X).	....hubiera estado solo, estos últimos tiempos. (E. XIII).
¡Un colapso! (E. X).	¡Un colapso! ¡No se cuidaba! (E. XIII).
¡Válgame Dios! (E. X).	¡Válgame Dios! ¡Yo estoy incierta! (E. XIII).
Si no puede esperar... (E. X).	Si no puede esperar... Sin duda... (E. XIII).

Todas ellas aparecen en intervenciones de Madama Collet, la mujer de Max Estrella. En todas ellas se perciben rasgos de la mujer. Se trata de expresiones de cortesía, de asombro, que revelan quizá la mayor estima de las formas (*solo estos últimos tiempos,... No se cuidaba... Sin duda...*) o que inciden sobre su español vacilante (*Yo estoy incierta*; recuérdese que en otras ocasiones dice *Jefe de obra, Oh, querido...*). Esta acomodación de una lengua ajena es lo que hemos de ver en el grito de Max Estrella, en su propia puerta, dirigido a su mujer, instantes antes de morir (también añadido en 1924): "¡Collet, me estoy aburriendo!", en el que Max habla como, probablemente, hablaría su mujer, acomodando a cualquier situación el valor más fácil del francés *ennuyer*.

Algunas variantes, referidas a los personajes librescos de *Luces de bohemia*, nos explican, también por un procedimiento intensificatorio, la aguda literatización que el modernismo sufría, tanto de habla como de actitudes. Agrupo en las siguientes variantes algunas relativas a Max Estrella, Rubén Darío y Bradomín:

1920	1924
MAX: ¡El rugido del mar! (E. III).	MAX: ¡El *épico* rugido del mar! (E. IV).
MAX: ...mezclemos el vino con las rosas de tus versos. (E. VII).	...mezclemos el vino con las rosas de tus versos. *Te escuchamos*. (E. IX).
MARQUÉS: No es más que un instante la vida, la única verdad es la muerte. (E. XI).	*Nosotros divinizamos la muerte*. No es más que un instante la vida... (E. XIV).
RUBÉN: ¿Usted es eterno, Marqués? MARQUÉS: ¡Eso me temo! (E. XI).	RUBÉN: ¿Usted es eterno, Marqués? MARQUÉS: ¡Eso me temo! *Pero paciencia*. (E. XIV).
MARQUÉS: ¿Son versos, Rubén? (E. XI).	¿Son versos, Rubén? ¿*Quiere usted leérmelos*? (E. XIV).

1920	1924
MARQUÉS: ...¡No me han arruinado las mujeres, con haberlas amado tanto, y me arruina la agricultura!	MARQUÉS: ...¡No me han arruinado las mujeres, con haberlas amado tanto, y me arruina la agricultura!
RUBÉN: ¡Admirable!	RUBÉN: ¡Admirable!
(E. XI).	MARQUÉS: *Mis Memorias se publicarán después de mi muerte. Voy a venderlas como si vendiese el esqueleto. Ayudémonos.*
	(E. XIV).

Todos los añadidos revelan la necesidad de literatización interior. Actitudes teatrales ante la inminente lectura de unos versos (*Te escuchamos; ¿Quiere usted leérmelos?*), el uso de un adjetivo nada coloquial (el *épico* rugido del mar), el viejo cinismo zumbón del Bradomín de las *Sonatas* (eterno... *pero paciencia*), y la alusión a la propia obra en esa venta de los manuscritos. El personaje de la época, traspasado de vivencias literarias se perfila más agudamente en esas pinceladas certeras de la segunda redacción.

Igualmente se ha procurado en la segunda versión exagerar el odio, la enemiga que Claudinita, la hija del poeta muerto, siente hacia Don Latino, hacia esa parte negativa, alcohólica y tramposa del vivir del propio padre. Y eso se consigue con ligeros añadidos, que claman vivamente la desesperación interior:

1920	1924
¡Golfo!	¡Golfo! ¡*Siempre estorbando*!
(E. X).	(E. XIII).

1920	1924
El único asesino. (E. X).	El único asesino. ¡*Le aborrezco*! (E. XIII).
¡Que se vaya! (E. X).	¡Que se vaya! ¡*Que no vuelva*! (E. XIII).

Las tres versiones más modernas revelan más a las claras la furia de Claudinita, el alarido de una pena tumultuosa.

Este procedimiento de relectura meditada, en la que, aquí y allá, se salpican nuevas exclamaciones, le sirve a Valle, en multitud de ocasiones, para perfilar, a veces nítidamente, el estilo interior de sus personajes. En un caso referente a Serafín el Bonito, la versión de 1920 decía: "En mi presencia no se ofende a Don Paco! ¡Sepa usted que Don Paco es mi padre!" (E. IV). La versión segunda aclara: "¡En mi presencia no se ofende a Don Paco! *Eso no lo tolero.* ¡Sepa usted que Don Paco es mi padre!" (E. V). La frasecilla intercalada pone al desnudo el énfasis hipócrita del halagador, hacedor de méritos por las antesalas a la vez que colma de ficticia autoridad a quien no la tiene auténtica.

Una buena parte de los añadidos de 1924, desempeña, ante todo, una función de aguzamiento de los rasgos idiomáticos. Se trata de certeras pinceladas que, desde su súbito fulgor, acrecientan casi dolorosamente los rasgos sociales o culturales del hablante. Son, por decirlo por otro camino, los caracteres quintaesenciados del sainete. Se redondea con ellos la entonación inexcusable, la sazón oportuna e insustituible, el ademán desgarrado, familiar o semiculto de la taberna, del arrabal, parlería de los héroes plebeyos, desheredados o vividores sin horizonte. Recojo a continuación algunas de estas adiciones de 1924:

1920	1924
(Falta por completo en la escena II).	LA PISA BIEN: ¡*Pasa, Manolo*! EL REY DE PORTUGAL: ¡*Sal tú fuera*! LA PISA BIEN: ¿*Es que temes perder la corona*? ¡*Entra de incógnito, so pelma*! (E. III).
LA PISA BIEN: ¿Y va usted sin una flor en la solapa? (E. II).	LA PISA BIEN: ¡*Naturaca*! ¿Y va usted sin una flor en la solapa? (E. III).
DON LATINO: ¡Miau! (E. IX).	DON LATINO: ¡Miau! ¡*Te estás contagiando*! (E. XII).
DON LATINO: ¡Pudiera! (E. IX).	DON LATINO: ¡Pudiera! *Yo me inhibo.* (E. XII).
DON LATINO: ¡Eres genial! (E. IX).	DON LATINO: ¡Eres genial! ¡*Me quito el cráneo*! (E. XII).
MAX: No me siento las manos, y me duelen las uñas. (E. IX).	MAX: No me siento las manos, y me duelen las uñas. ¡*Estoy muy malo*! (E. XII).
DON LATINO: ¿Qué antojas? (E. IX).	DON LATINO: ¿Qué antojas? ¡*Deja la mueca!* (E. XII).

Por dos veces se añade en la conversación de Don Latino la frase *Vamos a caminar* (E. XII), con lo que Valle pone de manifiesto la zozobra del hablante, la alarma ante la creciente flojera de Max Estrella ("¡Levántate! *Vamos a caminar*"; "¡Incorpórate, Max! *Vamos a caminar*"). Entre estos dos casos figura otro, también del mismo Don Latino, en el que podemos ver una vacilación hacia el clima de la exageración sainetera, lo que hace más patético el segundo *Vamos a caminar*. (¡Siempre este acierto, esta ponderación en la distribución de los elementos expresivos!) Don Latino, al preguntar Max, vagamente alucinado, quién es el muerto que se entierra en un ensueño que dice haber tenido, responde: Es un secreto *que debemos ignorar*. Aún está presente la posibilidad de la broma o de la borrachera, para vestirse, momentáneamente, de floja solemnidad. El presentimiento de la muerte próxima se ahíla extremadamente.

El ambiente de taberna, de charloteo achulado con los asiduos noctámbulos a esos lugares queda muy patente en esos añadidos en los que Max Estrella, Don Latino y la Pisa Bien hablan exhibiendo, muy bien ceñido, un regusto último de agitanado desgarro (¡*Naturaca*!), de afectado léxico periodístico (*Yo me inhibo*; *entrar de incógnito*) y, a la vez, dejan brotar el escalofrío pavoroso del presagio (¡*Estoy muy malo*!). Por igual procedimiento, en la conversación de la portera y la vecina, cuando intentan abrir el portal en el que se encontrarán con el cadáver de Max Estrella, se revaloriza el léxico gruñón de la madrugada con sueño, de la charla escandalosa y embozada de susto:

1920	1924
LA PORTERA: ¿Son horas? (E. IX).	LA PORTERA: ¡*Ay, qué centella de mixtos*! ¿Son horas? (E. XII).

1920	1924
LA VECINA: ... ¡Que se quede esto a la vindicta pública, señá Flora! (E. IX).	LA VECINA: ... ¡Que se quede esto a la vindicta pública, señá Flora! ¡*Propia la muerte*! (E. XII).

También están en este caso los leves añadidos a la conversación de los sepultureros [1]:

1920	1924
OTRO SEPULTURERO: ...¿Te parece que una mujer de posición se chifle así por un tal sujeto?	OTRO SEPULTURERO: ...¿Te parece que una mujer de posición se chifle así por un tal sujeto?
UN SEPULTURERO: Cegueras. (E. XI).	UN SEPULTURERO: Cegueras. ¡*Es propio del sexo*! (E. XIV).
UN SEPULTURERO: No falta faena. (E. XI).	UN SEPULTURERO: No falta faena. *Niños y viejos.* (E. XIV).
OTRO SEPULTURERO: En todo va la suerte. (E. XI).	OTRO SEPULTURERO: En todo va la suerte. *Eso lo primero.* (E. XIV).

[1] Idéntico alcance tiene un corto aumento en las palabras de un guardia a los poetas modernistas, alborotados por la detención de Max. Dice así: "UN GUARDIA: Si quieren acompañar a su amigo, no se oponen las leyes, y hasta lo permiten; pero deberán guardar moderación, ustedes. *Yo respeto mucho el talento*". Esta frasecilla nos trae a la memoria, ya queda dicho, los numerosos guardias de los sainetes, más o menos cultos y redichos, en los que se adivina un fondo de avergonzado resquemor por la tarea que desempeñan. Y además, en este caso, Valle enuncia, agudamente, sombreado por una tenue sonrisa desencantada, el conflicto entre la fuerza y la inteligencia, tan agudizado siempre en cualquier lucha de tipo social o reivindicativo.

ADICIONES CONTENIDAS EN LAS ACOTACIONES

Hay unas ligeras variantes distribuidas por las acotaciones. Todas acusan, ante todo, pulimento, preocupación personal de Valle ante el trozo enunciativo y cuajado de orientaciones. En la escena V, leemos:

1920

> Detrás asoman los cascos de los guardias municipales. Y en el corredor se agitan, bajo la luz de una candileja, las pipas, chalinas y melenas del modernismo.

Este trozo, en 1924, se altera con más precisión:

> Detrás asoman los cascos de los guardias. Y en el corredor se agrupan, bajo la luz de una candileja, pipas, chalinas y melenas del modernismo.

Desaparece el adjetivo *municipales,* se trueca el verbo *agitar* por *agrupar* y se suprime el artículo (*las* pipas-pipas).

En la acotación inicial de la escena X se añade la frase última: Max Estrella y Don Latino caminan bajo las sombras del paseo. "*El perfume primaveral de las lilas embalsama la humedad de la noche*". Asimismo se añade la frasecilla última de la escena: "El rostro albayalde de una vieja peripatética. *Diferentes sombras*". Quizá los dos añadidos, de evidente aspecto sensorial, huella modernista, suman intensidad al paisaje nocturno en que la escena se desenvuelve. Análogo papel de pincelada impresionista desempeña la adición de la frase final a la acotación primera de la escena XII: "Ya se han ido los serenos, pero aún están las puertas cerradas. *Despiertan las porteras*".

En la escena del cementerio (E. XIV), los levísimos aumentos responden a una orientación teatral. El agregar: "Sacan lumbre del yesquero y las colillas de tras la oreja. *Fuman sentados al pie del hoyo*", sirve para exagerar la indiferencia, la no-participación de los sepultureros, aquietados por un gesto de espera por el telón que se alza a su lado.

Otro añadido es una entrada en escena: "Los sepultureros [...] se acercan por la calle de tumbas. *Se acercan*". Y otro es un consejo sobre el gesto: "El marqués, *benevolente,* saca de la capa su mano de marfil y reparte entre los enterradores algún dinero". Lo mismo ocurre con el ejemplo de la escena última: "Hablan expresivos y secretos, pero atentos al mostrador con el ojo y la oreja. *La Pisa Bien le guiña a Don Latino*".

SUPRESIONES

En comparación con la expresividad de los añadidos, las supresiones de cierta importancia son mínimas, y no tienen otro alcance que el de condensar diálogos o aseveraciones algo desvaídos. Doy a continuación la lista de estas breves eliminaciones.

1920	1924
EL BORRACHO: ¿Quién es tu papá, zarramplina? (E. II).	EL BORRACHO: ¿Quién es tu papá? (E. III).

1920	1924
EL BORRACHO: ¡Muy señor mío! ¡Pues que me has sacado la fotografía! (E. II).	EL BORRACHO: ¡Me has sacado por la fotografía! (E. III) [2].
EL BORRACHO: Ven tú a ponérmelas, preciosidad. (E. II).	EL BORRACHO: Ven tú a ponérmela. (E. III).
...son como dos alones... (E. III).	...son como alones. (E. IV).
EL CAPITÁN PITITO: ¡Encárguese usted de este curda! EL SERENO: ¡Vaaa! (E. III).	[Se suprime la intervención del sereno.] (E. IV).
...donde con otros está sentado y silencioso Rubén Darío. (E. VII).	...donde está sentado y silencioso Rubén Darío. (E. IX).
Para mí, no hay nada guardado detrás de la última mueca. (E. VII).	Para mí, no hay nada tras de la última mueca (E. IX).
MAX: Tú no tienes nada que envidiar, Latino. LATINO: ¡Ni a la ventana te asomes! JOVEN: ¿Se acuerda usted maestro? (E. VII).	MAX: Tú no tienes nada que envidiar, Latino. JOVEN: ¿Se acuerda usted, maestro? (E. IX).

[2] En esta eliminación, ¿no podría verse quizá un afán de no referirse al infante Don Jaime, pretendiente legitimista, y al que iba dirigido el *Muy señor mío* de 1920?

1920	1924
LA PORTERA: ¡Cállate la boca! Es Don Max, el poeta que la ha pescado. (E. IX).	LA PORTERA: Es don Max, el poeta, que la ha pescado. (E. XII).
...me permitirá de no darle beligerancia cuando yo soy a decir que no está muerto, sino cataléptico, el inquilino de este tragaluz. (E. X).	...cuando yo soy a decir que no está muerto, sino cataléptico. (E. XIII).
CLAUDINITA: ¡Mi padre! ¡Mi padre! ¡Mi padre! ¡Mi padre querido! (E. X).	CLAUDINITA: ¡Mi padre! ¡Mi padre! ¡Mi padre querido! (E. XIII).

Quizá las supresiones más llamativas son las de las frases vivamente populares (¡*Ni a la ventana te asomes*!, ¡*Cállate la boca*!), que tan armónicamente podían ir dentro de la andadura total de la obra. Sin embargo, la concisión y rapidez han salido favorecidas.

CAMBIOS

Abundan, a lo largo de la redacción de 1924, los cambios, sustituciones, alteraciones de diversa importancia, etc., frente a la primera redacción. Si exceptuamos el trueque referente al Sargento Basallo, sustituto de Torcuato Luca de Tena, ya estudiado (véase págs. 106-111), todos estos cambios carecen, en realidad, de importancia. Son, unas veces, correcciones de sentido, aclaraciones, quizá llamadas a la diafanidad. Se perfila definitivamente el uso de los nombres (el ministro de la Gobernación es en 1920 *Manolo,* en 1924, *Paco*; *Madama Collet,* la mujer de Max Estrella en 1924, es *Margot* en 1920), y se depura la distribución del diálogo. En ocasiones, 1924 es, simplemente, la rectificación de una errata o ligereza de 1920. En la lista que sigue, se puede apreciar el alcance de estas correcciones.

1920	1924
Hora *canicular.* Un guardillón...	Hora *crepuscular.* Un guardillón...
El hombre ciego es un *poeta andaluz, borrachín y autor de cantares,* Máximo Estrella.	El hombre ciego es un *hiperbólico andaluz, poeta de odas y madrigales,* Máximo Estrella.

1920	1924
La mujer cierra la ventana, y la guardilla *rojiza, canicular, sedienta,* queda en una penumbra rayada de sol poniente.	La mujer cierra la ventana, y la guardilla queda en una penumbra rayada de sol poniente.
Entra un *ciego* asmático...	Entra un *vejete* asmático...
Máximo Estrella sale apoyado en el hombro de Don Latino *de Hispalis. Las dos mujeres, al quedar solas, se miran fijamente. La madre suspira apocada,* y la hija, toda nervios, comienza a quitarse las horquillas del pelo. (E. I).	Máximo Estrella sale apoyado en el hombro de Don Latino. *Madama Collet suspira apocada,* y la hija, toda nervios, comienza a quitarse las horquillas del pelo. (E. I).
La Pisa Bien: De su parte, *don Max.* La Niña Pisa Bien: ¿Manda usted algo más?	La Pisa Bien: De su parte, *caballero.* ¿Manda usted algo más?
El Chico de la Taberna: No *lo* deje usted irse.	El Chico de la Taberna: No *le* deje usted irse.
Y ese trasto *que* no aparece. Siquiera convide usted, Don Max.	Y ese trasto *ya* no aparece. Siquiera, convide usted, Don Max.
...me llama Rey de Portugal para significar que no valgo un *clavo*!	...me llama Rey de Portugal para significar que no valgo un *chavo*!
Yo, para servir a ustedes, soy *Gorita,* y no está medio bien...	Yo, para servir a ustedes, soy *Gorito,* y no está medio bien...

1920	1924
El Rey de Portugal: ¡Hay qué caballero, Zacarías!... (E. II).	El Rey de Portugal: ¡Hay que ser caballero, Zacarías!... (E. III).
Max: Préstame tu *manferlán*.	Max: Préstame tu *macferlán*.
...¡Y soy el primer poeta de España! ¡El primero! ¡El primero! ¡*Y no como*! ¡Y no me humillo pidiendo limosna!	...¡Y soy el primer poeta de España! ¡El primero! ¡El primero! ¡Y ayuno! ¡Y no me humillo pidiendo limosna!...
Dorio de Gadex: El Enano de la Venta. Coro de Modernistas: ¡Cuenta! ¡Cuenta! ¡Cuenta! Dorio de Gadex: Paladín del cupletismo. Coro de Modernistas: ¡Cretinismo! ¡Cretinismo! ¡Cretinismo! Dorio de Gadex: Que presume de valiente. Coro de Modernistas: ¡Miente! ¡Miente! ¡Miente! Dorio de Gadex: Y es un Tartufo malsín (E. III).	Dorio de Gadex: El Enano de la Venta. Coro de Modernistas: ¡Cuenta! ¡Cuenta! ¡Cuenta! Dorio de Gadex: Con bravatas de valiente. Coro de Modernistas: ¡Miente! ¡Miente! ¡Miente! Dorio de Gadex: Quiere gobernar la Harca. Coro de Modernistas; ¡Charca! ¡Charca! ¡Charca! Dorio de Gadex: Y es un Tartufo malsín. (E. IV).
Una Voz en el Grupo Modernista: ¡Bárbaros!	Una Voz Modernista: ¡Bárbaros!
Voces en el Grupo Modernista: ¡Hay que visitar las Redacciones! (E. IV).	El Grupo Modernista: ¡Hay que visitar las Redacciones! (E. V).

1920	1924
Max Estrella, el gran poeta, aun cuando algunos se *nieguen* a reconocerlo...	(Algunas ediciones, entre ellas la de *Obras completas,* dicen *niegan*). 1924, repite *nieguen.*
Usted, Don Filiberto, también toca algo en el *maxismo* y la cábala. (E. V).	Usted, Don Filiberto, también toca algo en el *magismo* y la cábala. (E. VII).
¡Quiero oírle decir que no me conoce! ¡*Manolo*! ¡*Manolo*!	¡Quiero oírle decir que no me conoce. ¡*Paco*! ¡*Paco*!
MAX: Yo me basto. ¡*Manolo*! ¡*Manolo*! ¡*Renegado*!	MAX: Yo me basto. ¡*Paco*! ¡*Soy un espectro del pasado*!
...¡No me reconoces, *Manolo*! ¡Tanto me ha cambiado la vida!	...¡No me reconoces, *Paco*! ¡Tanto me ha cambiado la vida!
EL MINISTRO: *Válgate Dios*! ¿Y cómo no te has acordado de venir a verme...?	(Algunas ediciones repiten *Válgate Dios. Obras completas, Válgame Dios*).
Manolo, las letras no dan para comer.	*Paco,* las letras no dan para comer.
Soy ciego, me llaman poeta, vivo de hacer versos y vivo *miserable.*	(Algunas ediciones, entre ellas *Obras completas,* dicen *miserablemente*); las primeras en libro repiten *miserable.*
...¡Suponerle tan altas Humanidades a un guardia!	...¡Suponerle a un guardia tan altas Humanidades!

1920	1924
...¡*Manolo,* tus sicarios no tienen derecho a escupirme...	...¡*Paco,* tus sicarios no tienen derecho a escupirme...
...¡Adiós, *Manolo*! Conste que no he venido a pedirte ningún favor.	¡Adiós, *Paco*! Conste que no he venido a pedirte ningún favor.
...Ya que has venido, *hablemos.*	(Obras completas, *hablaremos*); 1924 repite *hablemos.*
Vivíais en la calle del Recuerdo.	(1924 repite *vivíais*; Obras completas, *vivías*).
MAX: Don Latino de Hispalis *se llama ese sujeto.* (E. VI).	MAX: Don Latino de Hispalis: *mi perro.* (E. VIII).
...me dedico a la taberna. *Hay que prepararse para morir, Rubén.*	...me dedico a la taberna, *mientras llega la muerte.*
...tú me apoquinas en pasta lo que había de costar*me* la bebecua.	...tú me apoquinas en pasta lo que *me* había de costar la bebecua.
RUBÉN: Veré si recuerdo una peregrinación a Compostela... Son mis últimos versos. MAX: Se han publicado. RUBÉN: Creo que sí. MAX: Si se han publicado, me los habrán leído, pero en tu boca serán nuevos.	RUBÉN: Veré si recuerdo una peregrinación a Compostela... Son mis últimos versos. MAX: ¿Se han publicado? Si se han publicado me los habrán leído, pero en tu boca serán nuevos.

1920	1924
RUBÉN: Se prepara a la muerte en su aldea, y su carta de despedida fue la ocasión de estos versos. DON LATINO: ¡Bebamos a la salud de un exquisito pecador! MAX: ¡Bebamos, que le cuento también por amigo! (E. VII).	RUBÉN: Se prepara a la muerte en su aldea, y su carta d despedida fue la ocasión d estos versos. ¡Bebamos a la salud de un exquisito pecador MAX: ¡Bebamos! (E. IX).
DON LATINO: ¡La verdad es que tienes una fisonomía rara!	DON LATINO: ¡La verdad e que tienes una fisonomía *alg* rara!
MAX: España es una deformación grotesca de la civilización *heleno-cristiana*.	MAX: España es una defor mación grotesca de la civiliza ción *europea*.
DON LATINO: No llega tu voz a ese quinto cielo. MAX: ¡Margot! DON LATINO: Ni al entresuelo. MAX: Latino, me parece que recobró la vista...	DON LATINO: No llega tu vo a ese quinto cielo. MAX: ¡Collet! ¡Me esto aburriendo! DON LATINO: No olvides a compañero. MAX: Latino, me parece qu recobro la vista...
Don Latino de Hispalis se sopla los dedos arrecidos y camina unos pasos, *encorvándose* bajo su carrik...	(1924 repite *encorvándose*; *Obras completas* dice *incorporándose*).
Resuenan pasos dentro del zaguán. Don Latino se cuela por un callejón. Finalmente se eleva tras de la puerta la voz achulada de una vecina.	Finalmente se eleva tras d la puerta la voz achulada d una vecina. Resuenan pasos dentro del zaguán. Don Latino s cuela por un callejón.

1920	1924
La Voz de la Portera: ¿Quién es? La Voz de la Vecina: Señá Flora, tenga usted condescendencia. La Voz de la Portera: ¿Quién es? La Voz de la Vecina: Está usted marmota ¿Quién será? (E. IX).	La Voz de la Portera: ¿Quién es? Esperarse que encuentre la caja de mixtos. La Vecina: ¡Señá Flora! La Portera: Ahora salgo. ¿Quién es? La Vecina: ¡Está usted marmota! ¿Quién será?... (E. XII).
...Repentinamente, entrometiéndose en el duelo, cloquea *con* rajado repique, la campanilla de la escalera.	Repentinamente, entrometiéndose en el duelo, cloquea *un* rajado repique, la campanilla de la escalera.
...Madama Collet y Claudinita, desgreñadas y *zarrapastrosas*, lloran al muerto...	Madama Collet y Claudinita, desgreñadas y *macilentas*, lloran al muerto...
Dorio de Gadex: ¡Ninguno tiene reloj! ¡No hay duda *que* somos unos potentados!	(1924 repite el texto; *Obras completas* precisa: No hay duda *de que* somos unos potentados).
...En la fila de fantoches *arrimados* a la pared queda un hueco lleno de sugestiones.	En la fila de fantoches *pegados* a la pared queda un hueco lleno de sugestiones.
...Después se *ahinca* a llorar con una crisis nerviosa...	...Después se *hinca* a llorar con una crisis nerviosa...
Madama Collet: ¡*Demasiado bueno*! (E. X).	Madama Collet: ¡*Solo fue malo para sí*! (E. XIII).

1920	1924
...Un momento suspenden la tarea, del yesquero sacan lumbre y las colillas de tras de la oreja.	...Un momento suspenden la tarea. Sacan lumbre del yesquero y las colillas de tras la oreja.
RUBÉN: Necrópolis tiene una significación triste y horrible, como estudiar Gramática. ¿Cementerio? Marqués, ¿qué significación tiene para usted cementerio?	RUBÉN: Es verdad. Ni cementerio ni necrópolis. Son nombres de una frialdad triste y horrible, como estudiar Gramática. Marqués, ¿qué emoción tiene para usted necrópolis?
BRADOMÍN: Puramente alfabética. Rima vulgar, Rubén.	EL MARQUÉS: La de una pedantería académica.
RUBÉN: Cementerio para mí es como el fin de todo, dice lo irreparable y lo horrible, el perecer sin esperanza en el cuarto de un Hotel. ¿Y Campo Santo? Campo Santo tiene una lámpara.	RUBÉN: Necrópolis, para mi es como el fin de todo, dice lo irreparable y lo horrible, el perecer sin esperanza en el cuarto de un Hotel. ¿Y Camposanto? Camposanto tiene una lámpara.
BRADOMÍN: Tiene una cúpula dorada. ¡El terrible clarín extraordinario, querido Rubén!	EL MARQUÉS: Tiene una cúpula dorada. Bajo ella resuena religiosamente el terrible clarín extraordinario, querido Rubén.
BRADOMÍN: En Grecia quizá fuese la vida más *bella* que la vida nuestra.	EL MARQUÉS: En Grecia quizá fuese la vida más *serena* que la vida nuestra.
BRADOMÍN: ¿Serán los sepultureros de Ofelia?	EL MARQUÉS: ¿Serán filósofos, como los de Ofelia?
BRADOMÍN: ¿Ni siquiera habéis oido hablar de Artemisa y Mausoleo?	EL MARQUÉS: ¿Ni siquiera habéis oído hablar de Artemisa y Mausoleo?

1920	1924
UN SEPULTURERO: Yo no, a lo menos.	UN SEPULTURERO: Por mi parte, ni la menor cosa.
...Y dejando el socaire de *un hastial,* se acerca a la puerta del cementerio...	...Y dejando el socaire de *unas bardas,* se acerca a la puerta del cementerio...
...En fin, montemos en el coche, que aún hemos de visitar *al Buey Apis.* Quiero que usted me ayude a venderle el manuscrito de mis Memorias. (E. XI).	En fin, montemos en el coche, que aún hemos de visitar *a un bandolero.* Quiero que usted me ayude a venderle *a un editor* el manuscrito de mis Memorias. (E. XIV).
La niña Pisa Bien... se retira el pañuelo de la frente, y *espabilada* fisga hacia el mostrador. (E. última).	La niña Pisa Bien... se retira el pañuelo de la frente y *espabilándose* fisga hacia el mostrador. (E. última).

FINAL

Llevo ya un largo rato dando vueltas y más vueltas en torno a *Luces de bohemia,* el libro ilustre con que Don Ramón del Valle Inclán ensanchó el paisaje de la producción literaria y dio un nuevo contenido a la palabra "esperpento", alejándola de un cercado nivel coloquial para elevarla a climas de sutil y arriesgada aventura. Reconozcamos que lo hizo con éxito. Vemos ahora en el esperpento primerizo el alarido de una libertad recién conquistada. Ramón del Valle Inclán ha saltado la verja que ceñía su arte, verja de peligrosas lanzas, con interiores de biblioteca y de horizontes de ensueño, y descubre, ya en la calle, la luz de los atardeceres en la esquina con taberna, con solares sucios, con gentes desgreñadas esperando el milagro de cada amanecida. Es la vida desciñéndose caudalosa, redondo azar inesquivable. Vemos a *Luces de bohemia* como el reverso paródico de un periódico corriente, el diario rezumante de felicidades y proyectos. Una sonrisa mutilada sorprende a la sociedad entera en un momento de flaqueza, el momento de la verdad sin aliños ni embellecimientos. ¿Seguiremos hablando pomposamente de "deformación", "desmitificación", etc.? No. Vemos el esperpento encadenado a situaciones y tareas de su tiempo, específicamente teatrales [1]. Y vemos que, cuanto pueda encerrar de protesta, estaba ya en muchos sitios más, y hasta en tonos que, por lo mesurados y graves, podían ser más escuchados y estremecedores. Pero, estaremos de acuerdo, no se hizo nunca con tanto calor, con tanto brillo, en una lengua artísticamente desgarrada, capaz de llegar al ilusorio cielo de

unas pocas palabras verdaderas.

Porque palabras verdaderas, unas pocas, sí, pero humildes y dolidas como la indecible pesadumbre que acarrean, nos parece hoy *Luces de bohemia*. Toda esa porfiada protesta se nos desnuda hoy, ascendida a la cumbre de una corriente literaria y como manifestación suprema de un espacio humano que, por los cambios naturales de la sensibilidad o de las metas literarias, estaba a punto de hacerse ininteligible. Como ocurre en el arte de Quevedo, las alusiones, los juegos de palabras, en muchas ocasiones, estaban abocados a convertirse en oscuros malabarismos, avaramente plagados de secretos. Entretejida con ellos, yacía la realidad de una vida difícil, empobrecida y soñadora, que, en el cruce de los siglos XIX y XX, arrastró su desencanto y sus ratos de entusiasmo por los cafés, las callejas y las comisarías madrileñas. Ramón del Valle Inclán nos lo cuenta con el escalofrío de lo irreparable, con la brutal simplicidad con que desearíamos dejar para siempre los recuerdos ingratos. No hablemos más de "deformación". En todo caso, de lección avisadora. Asistimos a la génesis de un penoso "episodio nacional", fas-

---

[1] A la copiosa bibliografía sobre aspectos del teatro valleinclanesco, debe añadirse ahora EMILIO GONZÁLEZ LÓPEZ, *El arte dramático de Valle Inclán (Del decadentismo al expresionismo)*, Nueva York, 1967. Un fino análisis de *Luces de bohemia* figura en las págs. 193-202.

cinante vestidura de un parsimonioso desfile de sombras, cuerpo de humo fugitivo y transitorio, detrás del que una mirada disculpadora vislumbra el mejor y más puro invento del hombre: la esperanza. Esperanza, dónde apoyará su cara, en qué muro enhiesto, impracticable, rebotará su risa. Pero tengámosla. Que la noche de Max Estrella no sea más que un viento último, volandera ceniza, pero esperanza, sí, esperanza por un mundo más cordial y desprendido, donde haya siempre tendida una mano al infortunio.

ÍNDICE DE NOMBRES PROPIOS

ÍNDICE GENERAL

BIBLIOTECA ROMÁNICA HISPÁNICA

Director: DÁMASO ALONSO

I. TRATADOS Y MONOGRAFÍAS

1. Walther von Wartburg: *La fragmentación lingüística de la Romania.* Agotada.
2. René Wellek y Austin Warren: *Teoría literaria.* Con un prólogo de Dámaso Alonso. Cuarta edición. 432 págs.
3. Wolfgang Kayser: *Interpretación y análisis de la obra literaria.* Cuarta edición revisada. 594 págs.
4. E. Allison Peers: *Historia del movimiento romántico español.* Segunda edición. 2 vols.
5. Amado Alonso: *De la pronunciación medieval a la moderna en español.*
   Vol. I: Segunda edición: 382 págs.
   Vol. II: En prensa.
6. Helmut Hatzfeld: *Bibliografía crítica de la nueva estilística aplicada a las literaturas románicas.* Segunda edición, en prensa.
7. Fredrick H. Jungemann: *La teoría del sustrato y los dialectos hispano-romances y gascones.* Agotada.
8. Stanley T. Williams: *La huella española en la literatura norteamericana.* 2 vols.
9. René Wellek: *Historia de la crítica moderna (1750-1950).*
   Vol. I: *La segunda mitad del siglo XVIII.* 396 págs.
   Vol. II: *El Romanticismo.* 498 págs.
   Vol. III: En prensa.
   Vol. IV: En prensa.
10. Kurt Baldinger: *La formación de los dominios lingüísticos en la Península Ibérica.* 398 págs. 15 mapas. 2 láminas.
11. S. Griswold Morley y Courtney Bruerton: *Cronología de las comedias de Lope de Vega (Con un examen de las atribuciones dudosas, basado todo ello en un estudio de su versificación estrófica).* 694 págs.

II. ESTUDIOS Y ENSAYOS

1. Dámaso Alonso: *Poesía española (Ensayo de métodos y límites estilísticos).* Quinta edición. 672 páginas. 2 láminas.
2. Amado Alonso: *Estudios lingüísticos (Temas españoles).* Tercera edición. 286 págs.

3. Dámaso Alonso y Carlos Bousoño: *Seis calas en la expresión literaria española (Prosa-poesía-teatro).* Tercera edición aumentada. 440 págs.
4. Vicente García de Diego: *Lecciones de lingüística española (Conferencias pronunciadas en el Ateneo de Madrid).* Tercera edición. 234 págs.
5. Joaquín Casalduero: *Vida y obra de Galdós (1843-1920).* Segunda edición ampliada. 278 págs.
6. Dámaso Alonso: *Poetas españoles contemporáneos.* Tercera edición aumentada. 424 págs.
7. Carlos Bousoño: *Teoría de la expresión poética.* Premio "Fastenrath". Cuarta edición muy aumentada. 618 págs.
8. Martín de Riquer: *Los cantares de gesta franceses (Sus problemas, su relación con España).* Agotada.
9. Ramón Menéndez Pidal: *Toponimia prerrománica hispana.* Segunda edición, en prensa.
10. Carlos Clavería: *Temas de Unamuno.* Agotada.
11. Luis Alberto Sánchez: *Proceso y contenido de la novela hispanoamericana.* Segunda edición corregida y aumentada. 630 págs.
12. Amado Alonso: *Estudios lingüísticos (Temas hispanoamericanos).* Tercera edición. 360 págs.
13. Diego Catalán: *Poema de Alfonso XI. Fuentes, dialecto, estilo.* Agotada.
14. Erich von Richthofen: *Estudios épicos medievales.* Agotada.
15. José María Valverde: *Guillermo de Humboldt y la filosofía del lenguaje.* Agotada.
16. Helmut Hatzfeld: *Estudios literarios sobre mística española.* Segunda edición corregida y aumentada. 424 págs.
17. Amado Alonso: *Materia y forma en poesía.* Tercera edición. 402 págs.
18. Dámaso Alonso: *Estudios y ensayos gongorinos.* Segunda edición. 624 págs. 17 láminas.
19. Leo Spitzer: *Lingüística e historia literaria.* Segunda edición. Primera reimpresión. 308 págs.
20. Alonso Zamora Vicente: *Las sonatas de Valle Inclán.* Segunda edición. 190 págs.
21. Ramón de Zubiría: *La poesía de Antonio Machado.* Tercera edición. 268 págs.
22. Diego Catalán: *La escuela lingüística española y su concepción del lenguaje.* Agotada.
23. Jaroslaw M. Flys: *El lenguaje poético de Federico García Lorca.* Agotada.
24. Vicente Gaos: *La poética de Campoamor.* 2.ª edición, en prensa.
25. Ricardo Carballo Calero: *Aportaciones a la literatura gallega contemporánea.* Agotada.

26. José Ares Montes: *Góngora y la poesía portuguesa del siglo XVII.* Agotada.
27. Carlos Bousoño: *La poesía de Vicente Aleixandre.* Segunda edición. 486 págs.
28. Gonzalo Sobejano: *El epíteto en la lírica española.* Agotada.
29. Dámaso Alonso: *Menéndez Pelayo, crítico literario. Las palinodias de Don Marcelino.* Agotada.
30. Raúl Silva Castro: *Rubén Darío a los veinte años.* 296 págs. 4 láminas.
31. Graciela Palau de Nemes: *Vida y obra de Juan Ramón Jiménez.* Segunda edición, en prensa.
32. José F. Montesinos: *Valera o la ficción libre (Ensayo de interpretación de una anomalía literaria).* Agotada.
33. Luis Alberto Sánchez: *Escritores representativos de América.* Primera serie. La segunda edición ha sido incluida en la sección VII, *Campo Abierto,* con el número 11.
34. Eugenio Asensio: *Poética y realidad en el cancionero peninsular de la Edad Media.* Agotada.
35. Daniel Poyán Díaz: *Enrique Gaspar (Medio siglo de teatro español).* 2 vols. 10 láminas.
36. José Luis Varela: *Poesía y restauración cultural de Galicia en el siglo XIX.* 304 págs.
37. Dámaso Alonso: *De los siglos oscuros al de Oro.* La segunda edición ha sido incluida en la sección VII, *Campo Abierto,* con el número 14.
39. José Pedro Díaz: *Gustavo Adolfo Bécquer (Vida y poesía).* Segunda edición corregida y aumentada. 486 págs.
40. Emilio Carilla: *El Romanticismo en la América hispánica.* Segunda edición revisada y ampliada. 2 vols.
41. Eugenio G. de Nora: *La novela española contemporánea (1898-1960).* Premio de la Crítica.
    Tomo I: (1898-1927). Segunda edición. 622 págs.
    Tomo II: (1927-1939). Segunda edición corregida. 538 págs.
    Tomo III: (1939-1960). Segunda edición, en prensa.
42. Christoph Eich: *Federico García Lorca, poeta de la intensidad.* Segunda edición, en prensa.
43. Oreste Macrí: *Fernando de Herrera.* Agotada.
44. Marcial José Bayo: *Virgilio y la pastoral española del Renacimiento.* Agotada.
45. Dámaso Alonso: *Dos españoles del Siglo de Oro (Un poeta madrileñista, latinista y francesista en la mitad del siglo XVI. El Fabio de la "Epístola moral": su cara y cruz en Méjico y en España).* 258 págs.
46. Manuel Criado de Val: *Teoría de Castilla la Nueva (La dualidad castellana en la lengua, la literatura y la historia).* Segunda edición, en prensa.

47. Ivan A. Schulman: *Símbolo y color en la obra de José Martí.* 544 págs.
48. José Sánchez: *Academias literarias del Siglo de Oro español.* Agotada.
49. Joaquín Casalduero: *Espronceda.* Segunda edición. 280 págs.
50. Stephen Gilman: *Tiempo y formas temporales en el "Poema del Cid".* Agotada.
51. Frank Pierce: *La poesía épica del Siglo de Oro.* Segunda edición revisada y aumentada. 396 págs.
52. E. Correa Calderón: *Baltasar Gracián. Su vida y su obra.* 422 págs.
53. Sofía Martín-Gamero: *La enseñanza del inglés en España (Desde la Edad Media hasta el siglo XIX).* 274 págs.
54. Joaquín Casalduero: *Estudios sobre el teatro español (Lope de Vega, Guillén de Castro, Cervantes, Tirso de Molina, Ruiz de Alarcón, Calderón, Moratín, Larra, Duque de Rivas, Valle Inclán, Buñuel).* Segunda edición aumentada. 304 págs.
55. Nigel Glendinning: *Vida y obra de Cadalso.* 240 págs.
56. Álvaro Galmés de Fuentes: *Las sibilantes en la Romania.* 230 págs. 10 mapas.
57. Joaquín Casalduero: *Sentido y forma de las novelas ejemplares.* Segunda edición, en prensa.
58. Sanford Shepard: *El Pinciano y las teorías literarias del Siglo de Oro.* Agotada.
59. Luis Jenaro MacLennan: *El problema del aspecto verbal (Estudio crítico de sus presupuestos).* 158 págs.
60. Joaquín Casalduero: *Estudios de literatura española ("Poema de Mío Cid", Arcipreste de Hita, Cervantes, Duque de Rivas, Espronceda, Bécquer, Galdós, Ganivet, Valle-Inclán, Antonio Machado, Gabriel Miró, Jorge Guillén).* Segunda edición muy aumentada. 362 págs.
61. Eugenio Coseriu: *Teoría del lenguaje y lingüística general (Cinco estudios).* Segunda edición. 328 págs.
62. Aurelio Miró Quesada S.: *El primer virrey-poeta en América (Don Juan de Mendoza y Luna, marqués de Montesclaros).* 274 págs.
63. Gustavo Correa: *El simbolismo religioso en las novelas de Pérez Galdós.* 278 págs.
64. Rafael de Balbín: *Sistema de rítmica castellana.* Premio "Francisco Franco" del C. S. I. C. Segunda edición aumentada. 402 págs.
65. Paul Ilie: *La novelística de Camilo José Cela.* Con un prólogo de Julián Marías. 240 págs.
66. Víctor B. Vari: *Carducci y España.* 234 págs.
67. Juan Cano Ballesta: *La poesía de Miguel Hernández.* 302 págs.
68. Erna Ruth Berndt: *Amor, muerte y fortuna en "La Celestina".* 206 págs.

69. Gloria Videla: *El ultraísmo (Estudios sobre movimientos poéticos de vanguardia en España)*. 246 págs. 8 láminas.
70. Hans Hinterhäuser: *Los "Episodios Nacionales" de Benito Pérez Galdós*. 398 págs.
71. Javier Herrero: *Fernán Caballero: un nuevo planteamiento*. 346 páginas.
72. Werner Beinhauer: *El español coloquial*. Con un prólogo de Dámaso Alonso. Segunda edición corregida, aumentada y actualizada. 460 págs.
73. Helmut Hatzfeld: *Estudios sobre el barroco*. Segunda edición. 492 págs.
74. Vicente Ramos: *El mundo de Gabriel Miró*. 478 págs. 1 lámina.
75. Manuel García Blanco: *América y Unamuno*. 434 págs. 2 láminas.
76. Ricardo Gullón: *Autobiografías de Unamuno*. 390 págs.
77. Marcel Bataillon: *Varia lección de clásicos españoles*. 444 págs. 5 láminas.
78. Robert Ricard: *Estudios de literatura religiosa española*. 280 págs.
79. Keith Ellis: *El arte narrativo de Francisco Ayala*. 260 págs.
80. José Antonio Maravall: *El mundo social de "La Celestina"*. Premio de los Escritores Europeos. Segunda edición revisada y aumentada. 182 págs.
81. Joaquín Artiles: *Los recursos literarios de Berceo*. Segunda edición corregida. 272 págs.
82. Eugenio Asensio: *Itinerario del entremés desde Lope de Rueda a Quiñones de Benavente (Con cinco entremeses inéditos de Don Francisco de Quevedo)*. 374 págs.
83. Carlos Feal Deibe: *La poesía de Pedro Salinas*. 270 págs.
84. Carmelo Gariano: *Análisis estilístico de los "Milagros de Nuestra Señora" de Berceo*. 234 págs.
85. Guillermo Díaz-Plaja: *Las estéticas de Valle Inclán*. 298 págs.
86. Walter T. Pattison: *El naturalismo español. Historia externa de un movimiento literario*. Segunda edición, en prensa.
87. Miguel Herrero García: *Ideas de los españoles del siglo XVII*. 694 págs.
88. Javier Herrero: *Ángel Ganivet: un iluminado*. 346 págs.
89. Emilio Lorenzo: *El español de hoy, lengua en ebullición*. Con un prólogo de Dámaso Alonso. 180 págs.
90. Emilia de Zuleta: *Historia de la crítica española contemporánea*. 454 págs.
91. Michael P. Predmore: *La obra en prosa de Juan Ramón Jiménez*. 276 págs.
92. Bruno Snell: *La estructura del lenguaje*. 218 págs.
93. Antonio Serrano de Haro: *Personalidad y destino de Jorge Manrique*. 382 págs.

94. Ricardo Gullón: *Galdós, novelista moderno.* Nueva edición. 326 páginas.

95. Joaquín Casalduero: *Sentido y forma del teatro de Cervantes.* 290 págs.

96. Antonio Risco: *La estética de Valle-Inclán en los esperpentos y en "El Ruedo Ibérico".* 278 págs.

97. Joseph Szertics: *Tiempo y verbo en el romancero viejo.* 208 págs.

98. Miguel Batllori, S. I.: *La cultura hispano-italiana de los jesuitas expulsos (Españoles - Hispanoamericanos - Filipinos. 1767-1814).* 698 págs.

99. Emilio Carilla: *Una etapa decisiva de Darío (Rubén Darío en la Argentina).* 200 págs.

100. Miguel Jaroslaw Flys: *La poesía existencial de Dámaso Alonso.* 344 págs.

101. Edmund de Chasca: *El arte juglaresco en el "Cantar de Mio Cid".* 350 págs.

102. Gonzalo Sobejano: *Nietzsche en España.* 688 págs.

103. José Agustín Balseiro: *Seis estudios sobre Rubén Darío.* 146 págs.

104. Rafael Lapesa: *De la Edad Media a nuestros días (Estudios de historia literaria).* 310 págs.

105. Giuseppe Carlo Rossi: *Estudios sobre las letras en el siglo XVIII (Temas españoles. Temas hispano - portugueses. Temas hispano - italianos).* 336 págs.

106. Aurora de Albornoz: *La presencia de Miguel de Unamuno en Antonio Machado.* 374 págs.

107. Carmelo Gariano: *El mundo poético de Juan Ruiz.* 262 págs.

108. Paul Bénichou: *Creación poética en el romancero tradicional.* 190 págs.

109. Donald F. Fogelquist: *Españoles de América y americanos de España.* 348 págs.

110. Bernard Pottier: *Lingüística moderna y filología hispánica.* 246 páginas.

111. Josse de Kock: *Introducción al Cancionero de Miguel de Unamuno.* 198 págs.

112. Jaime Alazraki: *La prosa narrativa de Jorge Luis Borges (Temas - Estilo).* 246 págs.

113. Andrew P. Debicki: *Estudios sobre poesía española contemporánea (La generación de 1924-1925).* 334 págs.

114. Concha Zardoya: *Poesía española del 98 y del 27 (Estudios temáticos y estilísticos).* 346 págs.

115. Harald Weinrich: *Estructura y función de los tiempos en el lenguaje.* 430 págs.

116. Antonio Regalado García: *El siervo y el señor (La dialéctica agónica de Miguel de Unamuno).* 220 págs.

117. Sergio Beser: *Leopoldo Alas, crítico literario.* 372 págs.

118. Manuel Bermejo Marcos: *Don Juan Valera, crítico literario.* 256 páginas.
119. Solita Salinas de Marichal: *El mundo poético de Rafael Alberti.* 272 págs.
120. Óscar Tacca: *La historia literaria.* 204 págs.
121. Homero Castillo: *Estudios críticos sobre el modernismo.* 416 págs.
122. Oreste Macrí: *Ensayo de métrica sintagmática (Ejemplos del "Libro de Buen Amor" y del "Laberinto" de Juan de Mena).* 296 págs.
123. Alonso Zamora Vicente: *La realidad esperpéntica (Aproximación a "Luces de Bohemia").* 208 págs.

III. MANUALES

1. Emilio Alarcos Llorach: *Fonología española.* Cuarta edición aumentada y revisada. Primera reimpresión. 290 págs.
2. Samuel Gili Gaya: *Elementos de fonética general.* Quinta edición corregida y ampliada. 200 págs.
3. Emilio Alarcos Llorach: *Gramática estructural.* Agotada.
4. Francisco López Estrada: *Introducción a la literatura medieval española.* Tercera edición renovada. 342 págs.
5. Francisco de B. Moll: *Gramática histórica catalana.* 448 págs. 3 mapas.
6. Fernando Lázaro Carreter: *Diccionario de términos filológicos.* Tercera edición corregida. 444 págs.
7. Manuel Alvar: *El dialecto aragonés.* Agotada.
8. Alonso Zamora Vicente: *Dialectología española.* Segunda edición muy aumentada. 588 págs. 22 mapas.
9. Pilar Vázquez Cuesta y Maria Albertina Mendes da Luz: *Gramática portuguesa.* Segunda edición, en prensa.
10. Antonio M. Badia Margarit: *Gramática catalana.* 2 vols.
11. Walter Porzig: *El mundo maravilloso del lenguaje (Problemas, métodos y resultados de la lingüística moderna).* Segunda edición, en prensa.
12. Heinrich Lausberg: *Lingüística románica.*
    Vol. I: *Fonética.* 560 págs.
    Vol. II: *Morfología.* 390 págs.
13. André Martinet: *Elementos de lingüística general.* Segunda edición revisada. 276 págs.
14. Walther von Wartburg: *Evolución y estructura de la lengua francesa.* 350 págs.
15. Heinrich Lausberg: *Manual de retórica literaria (Fundamentos de una ciencia de la literatura).*
    Vol. I: 382 págs.
    Vol. II: 518 págs.
    Vol. III: 404 págs.

16. Georges Mounin: *Historia de la lingüística (Desde los orígenes al siglo XX).* 236 págs.
17. André Martinet: *La lingüística sincrónica. (Estudios e investigaciones).* 228 págs.
18. Bruno Migliorini: *Historia de la lengua italiana.*
Vol. I: 596 págs.
Vol. II: En prensa.
19. Luis Hjelmslev: *El lenguaje.* 188 págs.

IV. TEXTOS

1. Manuel C. Díaz y Díaz: *Antología del latín vulgar.* Segunda edición aumentada y revisada. 240 págs.
2. María Josefa Canellada: *Antología de textos fonéticos.* Con un prólogo de Tomás Navarro. 254 págs.
3. F. Sánchez Escribano y A. Porqueras Mayo: *Preceptiva dramática española del Renacimiento y el Barroco.* 258 págs.
4. Juan Ruiz: *Libro de Buen Amor.* Edición crítica de Joan Corominas. 670 págs.
5. Julio Rodríguez-Puértolas: *Fray Íñigo de Mendoza y sus "Coplas de Vita Christi".* 634 págs. 1 lámina.

V. DICCIONARIOS

1. Joan Corominas: *Diccionario crítico etimológico de la lengua castellana.* Tomos I, II y III, agotados. Tomo IV y último, 1226 páginas.
2. Joan Corominas: *Breve diccionario etimológico de la lengua castellana.* Segunda edición revisada. 628 págs.
3. *Diccionario de autoridades.* Edición facsímil. 3 vols.
4. Ricardo J. Alfaro: *Diccionario de anglicismos.* Recomendado por el "Primer Congreso de Academias de la Lengua Española". 480 págs.
5. María Moliner: *Diccionario de uso del español.* 2 vols.

VI. ANTOLOGÍA HISPÁNICA

1. Carmen Laforet: *Mis páginas mejores.* 258 págs.
2. Julio Camba: *Mis páginas mejores.* 254 págs.
3. Dámaso Alonso y José M. Blecua: *Antología de la poesía española.* Vol. I: *Lírica de tipo tradicional.* Segunda edición corregida. LXXXVI + 266 págs.
4. Camilo José Cela: *Mis páginas preferidas.* 414 págs.
5. Wenceslao Fernández Flórez: *Mis páginas mejores.* 276 págs.

6. Vicente Aleixandre: *Mis poemas mejores.* Tercera edición aumentada. 322 págs.
7. Ramón Menéndez Pidal: *Mis páginas preferidas (Temas literarios).* 372 págs.
8. Ramón Menéndez Pidal: *Mis páginas preferidas (Temas lingüísticos e históricos).* 328 págs.
9. José M. Blecua: *Floresta de lírica española.* Segunda edición corregida y aumentada. Primera reimpresión. 2 vols.
10. Ramón Gómez de la Serna: *Mis mejores páginas literarias.* 246 páginas. 4 láminas.
11. Pedro Laín Entralgo: *Mis páginas preferidas.* 338 págs.
12. José Luis Cano: *Antología de la nueva poesía española.* Tercera edición. 438 págs.
13. Juan Ramón Jiménez: *Pájinas escojidas (Prosa).* 262 págs.
14. Juan Ramón Jiménez: *Pájinas escojidas (Verso).* Primera reimpresión. 238 págs.
15. Juan Antonio de Zunzunegui: *Mis páginas preferidas.* 354 págs.
16. Francisco García Pavón: *Antología de cuentistas españoles contemporáneos.* Segunda edición renovada. 454 págs.
17. Dámaso Alonso: *Góngora y el "Polifemo".* Quinta edición muy aumentada. 3 vols.
18. *Antología de poetas ingleses modernos.* Con una introducción de Dámaso Alonso. 306 págs.
19. José Ramón Medina: *Antología venezolana (Verso).* 336 págs.
20. José Ramón Medina: *Antología venezolana (Prosa).* 332 págs.
21. Juan Bautista Avalle-Arce: *El inca Garcilaso en sus "Comentarios" (Antología vivida).* 282 págs.
22. Francisco Ayala: *Mis páginas mejores.* 310 págs.
23. Jorge Guillén: *Selección de poemas.* 294 págs.
24. Max Aub: *Mis páginas mejores.* 278 págs.
25. Julio Rodríguez-Puértolas: *Poesía de protesta en la Edad Media castellana (Historia y Antología).* 348 págs.
26. César Fernández Moreno y Horacio Jorge Becco: *Antología lineal de la poesía argentina.* 384 págs.
27. Roque Esteban Scarpa y Hugo Montes: *Antología de la poesía chilena contemporánea.* 372 págs.

VII. CAMPO ABIERTO

1. Alonso Zamora Vicente: *Lope de Vega (Su vida y su obra).* Agotada.
2. E. Moreno Báez: *Nosotros y nuestros clásicos.* Segunda edición corregida, en prensa.
3. Dámaso Alonso: *Cuatro poetas españoles (Garcilaso - Góngora - Maragall - Antonio Machado).* 190 págs.

4. Antonio Sánchez-Barbudo: *La segunda época de Juan Ramón Jiménez (1916-1953).* 228 págs.
5. Alonso Zamora Vicente: *Camilo José Cela (Acercamiento a un escritor).* 250 págs. 2 láminas.
6. Dámaso Alonso: *Del Siglo de Oro a este siglo de siglas (Notas y artículos a través de 350 años de letras españolas).* Segunda edición. 294 págs. 3 láminas.
7. Antonio Sánchez-Barbudo: *La segunda época de Juan Ramón Jiménez (Cincuenta poemas comentados).* 190 págs.
8. Segundo Serrano Poncela: *Formas de vida hispánica (Garcilaso - Quevedo - Godoy y los ilustrados).* 166 págs.
9. Francisco Ayala: *Realidad y ensueño.* 156 págs.
10. Mariano Baquero Goyanes: *Perspectivismo y contraste (De Cadalso a Pérez de Ayala).* 246 págs.
11. Luis Alberto Sánchez: *Escritores representativos de América.* Primera serie. Segunda edición. 3 vols.
12. Ricardo Gullón: *Direcciones del modernismo.* 242 págs.
13. Luis Alberto Sánchez: *Escritores representativos de América.* Segunda serie. 3 vols.
14. Dámaso Alonso: *De los siglos oscuros al de Oro (Notas y artículos a través de 700 años de letras españolas).* Segunda edición. 294 págs.
15. Basilio de Pablos: *El tiempo en la poesía de Juan Ramón Jiménez.* Con un prólogo de Pedro Laín Entralgo. 260 págs.
16. Ramón J. Sender: *Valle-Inclán y la dificultad de la tragedia.* 150 págs.
17. Guillermo de Torre: *La difícil universalidad española.* 314 págs.
18. Ángel del Río: *Estudios sobre literatura contemporánea española.* 324 págs.
19. Gonzalo Sobejano: *Forma literaria y sensibilidad social (Mateo Alemán, Galdós, Clarín, el 98 y Valle-Inclán).* 250 págs.
20. Arturo Serrano Plaja: *Realismo "mágico" en Cervantes ("Don Quijote" visto desde "Tom Sawyer" y "El Idiota").* 240 págs.
21. Guillermo Díaz-Plaja: *Soliloquio y coloquio (Notas sobre lírica y teatro).* 214 págs.

VIII. DOCUMENTOS

1. Dámaso Alonso y Eulalia Galvarriato de Alonso: *Para la biografía de Góngora: documentos desconocidos.* 632 págs.

IX. FACSÍMILES

1. Bartolomé José Gallardo: *Ensayo de una biblioteca española de libros raros y curiosos.* Edición facsímil.